U0941434

图书在版编目(CIP)数据

100 位水利名人/王如高主编. —南京:河海大学出版社，2009.3

(水文化教育丛书/郑大俊，鞠平总主编)

ISBN 978-7-5630-2542-8

Ⅰ. 1… Ⅱ. 王… Ⅲ. 水利建设—名人—生平事迹—世界 Ⅳ. K816.16

中国版本图书馆 CIP 数据核字(2009)第 042833 号

书　　名 100 位水利名人
书　　号 ISBN 978-7-5630-2542-8/K·48
责任编辑 朱婵玲
特约编辑 杨　曦
责任校对 蒋乃珺　刘书含
装帧设计 南京千秋企划广告有限公司
出版发行 河海大学出版社
经　　销 江苏省新华发行集团有限公司
地　　址 南京市西康路 1 号(邮编:210098)
电　　话 (025)83737852(行政部)
(025)83722833(发行部)
(025)83786934(编辑部)
排　　版 南京理工大学印刷厂
印　　刷 南京工大印务有限公司
开　　本 750 毫米×1020 毫米　1/16
印　　张 14.25
字　　数 241 千字
版　　次 2009 年 7 月第 1 版
印　　次 2009 年 7 月第 1 次印刷
定　　价 680.00 元/套(共 10 册)

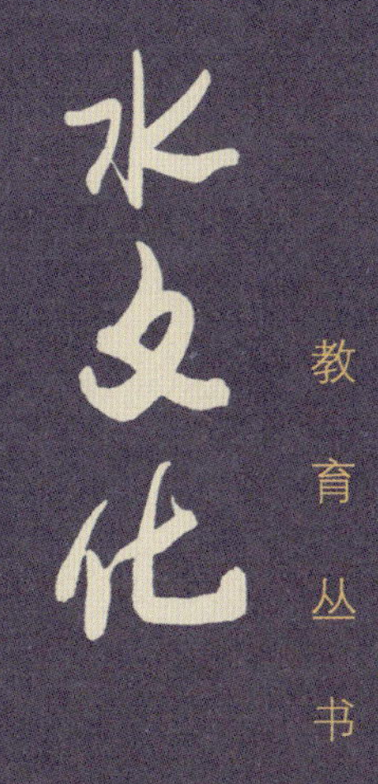

总策划

张长宽

总主审

林萍华

总主编

郑大俊　鞠　平

副总主编

吴胜兴　王如高　李乃富

100位水利名人

主编 王如高
副主编 刘春田 陈家洋

弘扬先进水文化，促进水利事业又好又快发展

——《水文化教育丛书》序言

文化是民族的血脉和灵魂，是国家发展、民族振兴的重要支撑。一个民族的文化，凝聚着这个民族对世界和生命的历史认知和现实感受，积淀着这个民族最深层的精神追求和行为准则。党的十七大把文化建设摆在更加突出的位置，对兴起社会主义文化建设新高潮、推动社会主义文化大发展大繁荣作出了全面部署。先进水文化是中华优秀文化的重要组成部分。弘扬和建设先进水文化，为水利事业又好又快发展提供文化支撑，是摆在我们面前的一个重大而紧迫的课题。

我国是一个拥有悠久治水历史的国家，在中华民族五千年文明史中，我们的祖先创造了光辉灿烂的水文化。这些文化，有的以物质形态存在，如都江堰、大运河、坎儿井等举世闻名的水利工程，以及水利工程技术、治水器械工具等物质产品；有的以制度形态存在，如以水为载体的风俗习惯、宗教仪式、社会关系和社会组织、法律法规；有的以精神形态存在，如对水的认识、有关水的价值观念、与水相关的文化心理和文化特征等。这些璀璨的水文化，已经深深熔铸在中华民族的血脉之中，成为民族生存发展和国家繁荣振兴取之不尽、用之不竭的力量源泉。

新中国成立之后，党和国家领导人民进行了规模空前的水利建设，取得了辉煌的成就。特别是1998年特大洪水以后，水利部党组认真贯彻落实科学发展观，按照全面建设小康社会和构建社会主义和谐社会的要求，根据中央水利工作方针，认真总结经验教训，尊重基层和群众的实践创造，与时俱进地提出了可持续发展的治水思路，进行了一系列卓有成效的探索，开启了水利实践的新征程，为水文化建设注入了新的时代内涵。人与自然和谐的治水理念、以人为本的治水宗旨，扬弃了我国传统的治水文化观念，体现了科学发展观的要求；一大批水利水电工程的建设，有力地保障了经济社会发展，激发了民族自豪感，为当代和后人积累了宝贵的物质和精神财富；水利科技创新的突破，水利信息化的推进，显著提升了我国水利的科技含量和现代化水平，武装和改造了传统水利；节水防污型社会建设的深入开展，依法治水的不断推进，促进了传统治水方式和水管理制度的深刻变革；“献身、负责、求实”的水利行业精神，“万众一心、众志成城，不怕困难、顽强拼搏，坚韧不拔、敢于胜利”的伟大抗洪精神，体现了民族精神的精华，丰富了时代精神和社会主义核心价值体系的内涵。这是水文化传统与新时期水利实践相结合的丰硕成果，必将永远激励着我们不断奋斗前进。

当前和今后一个时期，是全面建设小康社会的关键时期，也是传统水利向现代水利转变的关键时期。我们要把科学发展观的根本要求与可持续发展的治水思路的探索实践结合起来，把全面建设小康社会的宏伟蓝图与水利发展的长远目标结合起来，把人民群众过上更好生活的新期待与水利工作的着力点结合起来，进一步增强水利对经济社会发展和改善民生的保障能力，不断创造无愧于时代要求的先进水文化，推动社会主义文化大发展大繁荣。要深入挖掘和弘扬传统水文化的丰富内涵，努力在继承优秀水文化传统的基础上铸造先进水文化；要善于从当今时代波澜壮阔的水利实践中汲取新鲜养分，努力展现先进水文化鲜明的时代特征和强烈的时代气息，更好地适应水利发展与改革的需要；要把培育和弘扬水利行业精神作为建设先进水文化的重要任务，努力把先进水文化更好地融入社会主义核心价值体系之中，激发广大水利干部职工投身水利实践的热情和干劲。

弘扬和建设先进水文化，要坚持研究与教育相结合、普及与提高相结合、继承与创新相结合，向全行业、全社会展示水文化研究成果，普及水文化基本知识，开展水文化宣传教育，不断推动水文化建设在服务水利发展与改革中取得新的实效。我们很高兴地看到，河海大学充分发挥学科优势和学术实力，组织了一批专家、学者，从水利名人、江河湖泊、咏水诗文、城市与水、水工程、水灾害、水用具、水景观、水传说、水歌曲等诸多方面，精心梳理、深入挖掘、全面概括千百年来人类水文化的积淀，编写了《水文化教育丛书》。这套丛书系统地介绍了优秀的传统水文化，宣传了可持续发展的治水思路，展示了水利发展与改革成就，彰显了水利精神，是水利宣传的良好平台、文化传播的优秀载体。希望以《水文化教育丛书》的出版为契机，把水文化的研究和建设推向一个新的阶段，拓宽水利视野，更新治水理念，弘扬水利精神，推进传统水利向现代水利转变。同时也希望通过广泛而深入的水文化教育，呼唤全社会进一步关注水、珍惜水、爱护水，关心水利、支持水利、参与水利，共同谱写水利发展与改革的新篇章。

陈雷

二○○八年三月廿八日

前　言

水是生命之源，人类与水密切相关。水创造了文明，滋润了万物，使人类尽享水之“利”；水又威胁着文明，连绵不断的水患，给人类带来了巨大的灾难。人类历来重视水利事业，世界文明发展史几乎就是一部治水史。在这漫长的历史发展过程中，许许多多杰出的水利人物也得以涌现。

这些水利英杰以他们开阔的视野、出众的治水智慧、艰苦的治水实践，为世人主持建造了许多水利工程，有的至今还在发挥巨大效用，如孙叔敖主持修建的芍陂工程、李冰主持修建的都江堰工程、白居易和苏轼分别主持修建的西湖白堤和苏堤等。还产生了许多关于水利治理和水利管理方面的重要文献，如司马迁撰写的水利通史《河渠书》、郦道元撰写的水利名著《水经注》、潘季驯撰写的关于治河理论和治河实践的《河防一览》等。他们的治水理论、治水实践和杰出的科技成就为今人更好地探索和掌握治水规律，努力做到科学治水，实现人水和谐，提供了重要参考。

除了有形的物质财富外，他们还给后人留下了无形的但却异常宝贵的精神财富。这些水利英杰，无论古今，无论中外，也无论其主持的水利工程和撰写的水利专著在技术和内容上有多大差别，他们身上都表现出许多共同点，这些共同点可以用“水利精神”加以概括。在1999年全国水利厅局长会议上，时为国务院副总理的温家宝同志对广大水利工作者提出了“献身、负责、求实”的要求。原水利部部长汪恕诚同志进而指出，这六个字应作为水利行业精神。2005年，温家宝总理在视察河海大学时也向学校和师生提出了这样的要求，并阐述了这六个字的内涵和意义。纵览治河历史，不难发现，历代水利名人身上体现出来的也正是这种“献身、负责、求实”的水利行业精神。人们应该走近这些水利名人，了解他们，学习他们，将他们的这种水利精神继续传承下去。

为了帮助人们了解治水人物，传承水利行业精神，我们精心选取了100位古今中外水利代表人物的事迹，编辑成册。我们在选取人物时注重其典型性，标准有三：一是组织兴办过水利工程者，如近代的王同春，他开挖和管理了河套地区义和渠、丰济渠、沙河渠等五条干渠，占河套地区干渠的一半以上，把茫茫河套荒原变成旱涝无虞、五谷丰登的肥沃绿洲，被称为“开渠大王”、“绥西河渠总河神”；二是有水利著述者，如南北朝时期卓越的地理学家和水利家郦道元，他撰写了被称为“宇宙未有之奇书”的《水经注》，系统反映了当时中国河道水系的历史地理，为我国的水利科学作出了重大贡献；三是为水利事业建言献策者，如司马光针对黄河改道的问题，在调查研究的基础上，多次上奏朝廷，主张治河应该因地制宜、稳妥可靠。

在选择时，我们还注重内容的广泛性。从对人物的描述来看，既阐述水利名人的生平、治水历程、杰出贡献，又将后人对他们的评价历史地再现出来；从所选取的人物来看，既有古代水利先贤，又有当代水利院士，上下五千年，既包括中国治水名人，又涉及国外水利专家，纵横八万里；从涉及的水利面来看，涵盖水利设计、水利施工、水利管理、水利著作等。

依据水利名人所处的时代和国别，我们将100位水利名人分成五个部分：先秦两汉，魏晋隋唐，宋元明清，近现代，国外。其中，先秦两汉时期，从华夏水利始祖大禹起，到成功治理鉴湖的马臻止，共22位；魏晋隋唐时期，包括司马孚、郦道元、姜师度、白居易、刘晏、钱镠，共6位；宋元明清时期，从抗辽卫国兴水利的何承矩，到专攻水利撰宏著的冯道立，共45位；近现代，从近代名臣林则徐到当代水利专家潘家铮，共14位；国外部分，包含了7个国家的13位水利专家。

参加本书编写工作的有：王如高、刘春田、陈家洋、莫晓曼、万陆林、郝婷婷、王雪帆、谭晶霞、李飞宇、林晓斌。在本书编写过程中，还得到魏萍、康宏强、王永芝、钱朝阳、娄健等老师的支持和帮助，在此一并致谢。

由于水平有限，书中不当之处在所难免，真诚欢迎各位方家、读者批评指正。

编　者

2008年春

目　录

壹 先秦·两汉

贰 魏·晋·隋·唐

叁 宋·元·明·清

肆 近现代

伍 国外

壹

先秦·两汉

1. 禹

——治水伟业传千古

禹，又称大禹、夏禹、戎禹。姓姒(音 sì)，名文命。关于禹的出生地说法不一，有说生于崇(通“嵩”，即嵩山，今河南洛阳一带)；亦有说生于四川北川县，该县禹里羌族乡有“大禹故里”之称。除此之外，尚有其他说法。禹亡于会稽(今浙江绍兴附近)。禹原为“夏后氏”部落领袖，奉舜之命治理洪水，是我国第一个统一的奴隶制国家政权——夏王朝的奠基人。

禹生活在大约 4 000 年前的尧舜时代，相传当时黄河流域洪灾接连不断，华夏大地洪水滔天，先民们无以存身，整个民族面临着巨大的灾难。面对洪灾，唐尧召集“四岳”(四个部落首领)研究水患问题，最后任命禹的父亲鲧(音 gǔn)治理洪水。鲧采用了先人共工氏“壅防百川，堕高堙痹”的方法，也就是用泥土石块筑成堤坝，把主要的居民区和邻近的农田保护起来，想通过单纯的防御抵抗洪水。但由于洪水的巨大冲击力，堤坝屡被冲毁。九年过去了，鲧耗费了无数人力、物力，洪水却依然肆虐。

唐尧死后，虞舜即位，“四岳”又推荐鲧的儿子禹去完成父亲的未竟之业。禹对父亲的治水策略进行了反思，他意识到“水有自然流势，只能因势利导”，于是变壅防为疏导。他以水为师，探索并归纳水流的运动规律。《史记·夏本纪》说禹“左准绳，右规矩”，“行山表木，定高山大川”，也就是说，经

常带着测量工具，到各地勘察地形，测量水势。在科学把握水流运动规律的基础上，因势利导、因地制宜，禹带领百姓“疏川导滞”，排除积水，泄洪水于大海。经过十三年兢兢业业、含辛茹苦的奋斗，终于使得洪水安息，“水由地中行”，田土复出，“人得平土而居之”，逃聚在各地山岗上的灾民纷纷回到了自己久违的故乡。消除水患后，禹又带领人们开凿沟渠，引水灌溉，除水害、兴水利，有力地促进了农业的发展，使黄河两岸成为百姓安居乐业的所在。

禹一生最大的功业，一是治水，二是立国。治水是立国之本，立国是对治水成果的巩固与发展。禹治理水患，使百姓安居乐业，得到了各个部落共同的拥戴，继舜之后成为部落联盟的首领。不仅如此，禹还凭借他的威望使松散的部落联盟形成一个统一的国家政权。《左传》说夏禹铸造了象征九州的“九鼎”，“九鼎”代表着国家权力，据说上铸万物，使民知何物为善，何物为恶。后来，禹的儿子启继承其位，并建立了我国第一个统一的奴隶制国家政权——夏。

大禹治水，泽惠百世，名垂千古。孔子曾感慨：“微禹，吾其鱼乎！”就是说，要不是大禹，我们现在早已经变成鱼虾了。为了治水，禹历尽千辛万苦，饱受雨雪风霜。《庄子》说他“腓无肱，胫无毛，沐甚雨，栉疾风”。他的足迹遍及九州，在我国许多地方，都留下了关于他的传说和遗址。为了治水，大禹十三年奔波于外，连妻子、儿子都顾不上看一眼。相传连他30岁生日都是在搬石挑土、修坝浚河的工地上度过的。大禹公而忘私的奉献精神感动并激励着后世子孙，“三过家门而不入”的故事更是在九州大地代代相传。

2. 冥

——以身殉水资万物

冥，是商族始祖子契的五世孙。因助夏少康复国有功而被封为司空，主掌水土。夏少康十一年（前1955年），黄河中下游因河沙淤积泛滥成灾，为根除水患，帝令冥率商人治水。冥治水30余年，因劳碌过度，于夏帝杼十三年（前1920年）溺水而死，被尊为“水神”。

当年禹之子启在确立了“家天下”的局面后，放纵声色，沉湎于“淫溢康乐”之中，久已忘却创业的艰难，不谋日后的发展。启死后，其子太康、仲康等兄弟五人争夺王位不已，酿成“五观之乱”。这时，东方夷人中有穷氏的首领后羿乘虚而入，利用人民的普遍不满，迅速攻取夏都，太康、仲康不得不流亡在外，太康于流亡中死去，后羿遂“因夏民以代夏政”，夏王朝陷入灭亡的绝境。史称这一事件为“太康失国”。太康失国后，仲康之孙少康生长于母家有仍氏（说明：此处袭用古汉语表达方式），在夏王朝旧臣的帮助下“复禹之绩”，重建夏王朝。

由于统治阶级内部争权不断，黄河有的河道缺乏及时治理，一到雨季便不能及时排洪，近岸居民深受其苦，水患成为农业生产的巨大障碍。所以，少康即位后，立即恢复了管理水利工程的水官——水正，并任命冥为水正，将治水的重任交付给冥。

冥受命于危难之际。面对积弊日久的水利状况，他没有怨言，也不曾懈怠，而是直面困境，努力寻找突破的途径。为了掌握水患的实际情况，冥经常深入一线，走访百姓，了解情况，探求良策。这种勤勤恳恳、实实在在从事治水工作的作风，在他此后的治水实践中一以贯之。自少康中期起，直到其子杼（音zhù）即位以后长达30多年的时间里，冥始终以身作则，不辞辛苦地

率领黄河沿岸的百姓为消除水患而努力。经过整治，两岸百姓最终从水患频发的困境中走出，民心稳定，农业生产也有了较大发展。历史上称这一过程为“少康中兴”。从某种意义上讲，夏王朝自“少康中兴”之后，才真正走上了稳定和发展的道路。

然而，天有不测风云。帝杼十三年，冥“勤官而水死”(《国语·鲁语上》)。相传一次天降大雨，河水暴涨，滔滔黄河有漫堤之势。作为水正，冥急忙召集百姓，运物资，抗洪水，保大堤。他冲锋在前，亲自带领百姓抗洪，昼夜劳作，数日不曾下过河堤。不幸的事情终于在运土固堤的过程中发生了，由于连日来劳累过度，冥不慎落水身亡，殉职而去。

冥将自己的生命献给了治水事业。他的这种勤于职守的敬业精神、以身殉职的献身精神成为中国水利史上的重要精神财富。

3. 管仲

——华夏论水第一人

管仲(? —前 645 年),名夷吾,字仲,后人尊称为管子,春秋初期齐国颍上(今安徽颍上)人,杰出的政治家。

管仲出身贫寒,养过马,经过商,也服过兵役。他年轻时曾与鲍叔牙有过深交,后来鲍叔牙侍奉齐国的公子小白,管仲侍奉公子纠。后小白立为齐桓公,公子纠被杀死,管仲沦为阶下囚。鲍叔牙深知管仲才华出众,便向桓公大力举荐,而齐桓公也不计前仇,任用管仲为相。在为相的 40 年中,管仲在政治、经济、军事多方面进行改革,使齐国一跃成为春秋五霸之首。

管仲不仅是著名的政治家,还是一位出色的水利专家。对水利重要性的认识,是管仲论水的基本出发点。管仲从治理国家的高度上强调说,水可以为利,也可以为害,兴水利,除水害,是关系国计民生的大事。因此,管仲向齐桓公进言道:“善为国者,必先除其五害。”所谓五害即水、旱、风雾雹霜、瘟疫和虫灾。“五害之属,水为最大。五害已除,人乃可治。”他还说:“水者,地之血气,如精脉之通流者也。”可想而知,如果血气受阻,经脉不畅,国将奈何?

在具体的治水方法上,管仲也有非常科学的认识。管仲说水分干流、分枝(支)、季节河、人工河和湖泊沼泽五大类。理水要根据不同水源的特点,因势利导,因地制宜,采取相应的治水措施,兴利除害,使水为民所用。对于

农业灌溉，管仲认为“夫水之性，以高走下”，要想引水灌田，就得遵从水往低处流的特性。如果农田过高，只好在上游修建堰坝等拦水建筑物，抬高水位，为引水创造先决条件。此外，还必须注意渠道的坡降，坡降过大，则水流过快，“疾至于漂石”，会冲毁渠道；坡降过小，又会造成渠道淤积。当渠道通过地势较高和地势较为复杂的道路、小河或者沟谷时，还需要修建多种形式的水工建筑，如倒虹吸管、跌水等。只有这样，水才能够“迂其道而远之，以势行之”，沿着渠道顺从地流入田地。

管仲对水利施工管理也有科学的认识。他提出了统筹规划、综合治水的水利思想。他说水利工程的施工人员来源于百姓，秋末就要组织施工队伍，不能搞平均摊派，应区别男女老幼，按劳力状况分工。各地政府须在冬季备好河工用具，等春季来时施工用。管仲之所以选春季作为堤防施工的时间，是因为春季土料含水量比较适宜，容易夯实，工程质量能有所保证；而且春季“山川涸落”，处于枯水期，可以把河床滩地上的淤泥取来筑堤，既起疏浚作用，又节约堤外土源，以备夏秋防汛有足够土料可用，省时省工，一举多得。

除了农田水利外，管仲还对城市水利作过专门论述。他说：“凡立国都，非于大山之下，必于广川之上。高毋近旱而水用足，下毋近水而沟防省。因天材，就地利，故城郭不必中规矩，道路不必中准绳。”

管仲的言论和思想对后世影响颇深。后来一些推崇他的学者搜集整理管仲的文论，记述管仲的言行，并在此基础上阐发自己的主张，经过不断丰富和发展，集结成《管子》一书。其中关于水利问题的论述集中在《度地》、《乘马》、《水地》等篇目中。管仲不愧是华夏论水第一人，他的水利思想也体现了我国古代劳动人民的智慧。

4. 孙叔敖

——芍陂工程利千秋

孙叔敖，名敖，字孙叔，又字艾猎。生卒年不详。春秋时期楚国期思（今河南固始境，一说河南淮滨境）人，为著名政治家、军事家和水利家。孙叔敖一生热心水利事业，他带领百姓大兴水利，修堤筑堰，开沟通渠，致力于发展农业和漕运事业，为楚国的政治稳定和经济繁荣作出了卓越的贡献。

楚庄王九年（前 605 年），孙叔敖主持兴建了我国最早的大型引水灌溉工程——期思雩娄灌区。孙叔敖在史河东岸凿开石嘴头，引水向北，称为清河；又在史河下游东岸开渠，向东引水，称为堪河。利用这两条引水河渠，灌溉史河、泉河之间的土地。灌区经过历代不断续建、扩建，有渠有陂，引水入渠，由渠进陂，开陂灌田，形成了“长藤结瓜”式的灌溉体系。

楚庄王十七年（前 597 年）左右，安丰（今安徽寿县境内）大旱，粮食减产。作为楚国北疆的农业区，安丰的旱情直接影响到国家军需和民用粮草的补给，情况十分严峻。孙叔敖立即亲赴灾区视察情况，后结合当地情况，主持兴建了芍陂（音 què bēi，因水流经芍亭而得名），这是我国最早的蓄水灌溉工程。

安丰城南一带，是大别山的北麓余脉，西、南、东三面地势较高，北面地势低洼，向淮河倾斜。每逢夏秋雨季，山洪暴发，形成涝灾；而雨少的时节，又常出现旱情。针对这种情况，孙叔敖因地制宜，巧妙地利用三面高、一面

低的地形特点，带领百姓因势筑造了“周一百二十许里”的芍陂。将东面凤阳积石山、东南面龙池山和西面六安龙穴山流下来的溪水都汇集于低洼的芍陂之中。由于芍陂南高北低，稻田又多分布于西、北、东三面，孙叔敖又命人在这里开了五个水门，以石质闸门控制水量，这样一来，雨多不愁成涝，天旱也有水灌溉。其后又在陂的西南方开凿了一条子午渠，上通发源于大别山区的淠(音 pì)河。此外，还打通了濠水的引水渠道。这样，就扩大了水源，使芍陂拥有了“灌田万顷”的效益。

芍陂自筑造以来，经过历代整治，一直发挥着巨大的作用。它在东晋以后被改名为“安丰塘”。1988 年 1 月，国务院确定安丰塘为全国重点文物保护单位。如今，安丰塘已成为淠史杭灌区的重要组成部分，后者灌溉面积达到 60 多万亩，兼有防洪、水产、航运、旅游等综合效益。

为了称颂孙叔敖的历史功绩，后人在芍陂等地为其建祠立碑。清代著名学者顾祖禹在评价芍陂的历史作用时指出：芍陂是淮南田赋之本。其重要性由此可见。1957 年，毛泽东同志在视察河南时，也曾高度评价孙叔敖，称赞他是出色的水利专家。

5. 伍子胥

——胥溪胥浦两运河

伍子胥(前526—前484年),名员,字子胥,又称申胥,春秋时期楚国人,官至吴国大夫。

世传伍子胥当年逃亡过昭关,一夜急白了头。后助吴王阖闾攻破楚国国都,为报杀父之仇鞭尸楚平王。阖闾死后,伍子胥曾多次就对付越王勾践直言相谏,但吴王夫差却听信谗言,赐其自尽,九年后果如其所料,吴为越所灭。这些都表明,伍子胥是一位富有远见的政治家、军事家。但可能很少有人知道,伍子胥在水利上也颇有建树。他曾先后主持开凿了两条古老的人工运河,一为胥溪,一为胥浦。

当时,吴国的势力在今江苏、上海、安徽和浙江一带,国都在吴(今江苏苏州)。这里地处长江三角洲,地势平坦,河网交错,物产富饶,吴国漕运发达,国力强盛。周敬王十四年(前506年),吴王阖闾在伍子胥等一帮谋臣的辅佐下争雄称霸,吴楚连年用兵,战事不断。由于楚国的势力范围在长江中游,国都在郢(今湖北江陵西北),战事便在江淮之间展开。由于军事运输的限制,吴国的进军路线只有两条:一是向东出海,沿海北上至淮河口,然后溯淮西进,打进楚国;一是北出长江,溯江西上至濡须口(今安徽无为县东南),到达巢湖,进入作战区。这两条路线不但迂回曲折,路途遥远,而且要时时提防江海风涛之险。此时,为了便利军运,开挖一条从苏州往西、直达今芜湖出江的水上通道就成为迫在眉睫之事。阖闾再三考虑,决定派伍子胥完

成这项任务。

伍子胥经过认真勘察，发现太湖西面有条荆溪东西横贯，穿过漏湖、长荡湖，注入太湖。往西去，又有一条水阳江穿过固城湖、石臼湖和丹阳湖，流入长江。今高淳县东有一段十多里长的冈阜，恰好处于荆溪和水阳江之间，如果能凿穿这段高地，打通两水，吴国军队不就可以从太湖往西经水路直抵长江了吗？于是，伍子胥在认真筹划后率部下沿荆溪开挖运河，将它和水阳江水系沟通。可是开挖成的运河由于地势原因，西高东低，水位落差悬殊，根本不利于航行，伍子胥便沿着这条不长的运河设计了五道堰坝，用以平缓水势，达到了“挽拽轻舟”的目的。这便是胥溪运河，又有堰渎之称。

胥溪的开挖，沟通了长江和太湖水道，在便利军事运输的同时，兼有分洪泄洪之利。伍子胥也因为胥溪的成功开挖，更加受到吴王的重用。周敬王二十五年（前 495 年），吴王又命他开挖了另一条人工运河——胥浦，沟通了太湖和大海，主要用于疏浚太湖的泄水道。直到今天，在江苏吴县西南，由木渎到太湖胥口，还存留有胥浦运河的遗迹。

这两条运河的开挖成功，对当时和日后长江中下游地区的经济发展起到了重要作用。后人为了纪念伍子胥，将这两条运河分别命名为胥溪和胥浦。

据史料记载，伍子胥还曾主持苏州城的扩建工程，“子胥乃使相土尝水，造筑大城……城厚而崇，池广以深”，水陆八门，舟车并驶，显示出伍子胥在城建与水利方面的杰出才华。

6. 开明

——玉垒山开水患消

开明(生卒年不详),这里指鳖灵,相传为巴人,春秋后期蜀国(今四川西部)治水专家。鳖灵本是蜀王望帝杜宇的相,后因治水有功,杜宇让位于他,号曰开明帝。古蜀国自立国至前316年为秦所灭,共经历了蚕从、柏灌、鱼凫、望帝和开明五世帝王的统治。开明帝治蜀期间,是蜀国国力最强大的时期。开明帝传位12代,统治蜀国达360多年,这一家族为蜀国作出了三大贡献:玉垒治水、迁都成都和始建庙宇。开明所做的,正是“决玉垒”以治岷江洪水。

川西一带自古就是我国著名的多雨区,有“西蜀漏天”一说。发源于岷山弓杠岭和郎架岭的岷江,流经川西,水量非常丰富,年平均径流量达到了868亿立方米,居长江各大支流之首。由于地理原因,这里降水相对集中,全年近五成的雨会下在六、七、八三个月份,因而在这一段时间内,从峡谷中汹涌而下的浩荡岷江,经常会出现持续高涨的洪峰。岷江在流经灌县时开始进入平原,河床变宽,流速骤然变慢,汛期来时江水极易在此泛滥,成都平原十之八九都会沦为泽国。因此,川西人民一直有平治岷江洪水的夙愿。

在望帝杜宇晚年时,洪水为患,蜀民不得安处,杜宇便让他的相鳖灵即后来的开明帝具体负责治理洪水。据说开明善舟楫,精渔猎,深知水性。他察地形,测水势,凿玉山(即玉垒山),开金堂县峡(即金堂县龙泉山与云顶山之间的峡口)疏导宣泄,水患遂平,古蜀国方能“民得陆处”,免为龟鳖。汉人杨雄的《蜀王本纪》和晋人常璩的《华阳国志》都将这一工程记作“决玉垒山以除水害”。《水经注》上说:“江(岷江)水又东别为沱,开明之所凿也。”所以开明实际上是凿穿了一条泄洪道,由灌县分岷江洪水向东,最后注入沱江。

当时，开明经过实地勘测和考察后，认为在玉垒山（古称湔山，位于岷江东南、灌县西部）建泄洪道，分洪效果最显著；而且凿穿玉垒山后，两岸都是石壁，抵抗洪水的冲击自不成问题。可问题在于，坚硬的石头不便于人工开挖，在生产力极其低下的时代，仅靠石匠手凿，辟山为水道，谈何容易！洪水不等人，时间紧迫，为了缩短工期，免百姓于苦役，开明冥思苦想，经过多次试验，终于发明了烧岩开石法。此法先用火烧岩石，待炽热后，再用冷水激，致使岩石碎裂，用此法凿岩屡试不爽。玉垒山很快便被凿开一个缺口，作为分岷江洪水东入泄洪道的进水口。据说，这就是后来闻名于世的宝瓶口，为都江堰水利枢纽的三大渠首工程之一。

今日的宝瓶口，高 13 米，长 80 米，宽 43 米，气势宏大，场面壮观。它使成都平原享有灌溉之利，而无水涝之忧，并成为蜚声世界的物质遗产。每当提及都江堰，人们更多想到的是李冰父子，却很少有人知道开明为此立下的奠基之功。我们应当怀念这位因显赫的治水功绩而称王立帝的古人。

7. 白圭

——筑堤护坝显身手

白圭（前 370—前 300 年），名丹，字圭（一作邽），东周洛阳人，战国时期魏国人，魏惠王（前 369—前 319 年）时在魏国为官。白圭是我国古代商人中的杰出代表，世称“商圣”，奉行“人弃我取，人取我与”的经营方法，总结出了“智、勇、仁、强”的经营四字诀。同时，白圭还是我国古代有名的筑堤专家、护坝能手。

战国初期，魏惠王雄心勃勃，想要称雄于诸侯。为了增强国力，他大力发展农业生产。但是魏国大部地处黄河下游两岸，饱受水灾的威胁。为了消除水患，惠王命大臣白圭带领百姓在黄河两岸筑堤防水。

白圭在筑堤过程中，不墨守陈规，大胆进行了许多创新。他采用“大其下，小其上”，“其斜三分去一，大防外斜”的修筑比例，就是把堤防的横断面修成底宽而顶窄的梯形，背河面边坡比为三比一，临河面边坡还要更缓，使得堤防非常稳固，并确定堤防的距离为“堤去河二十里，虽非其正，水尚有所游荡”，就是河两岸的堤防相距达五十里左右，堤埂虽不能做得十分规整，但平日里河水主流总可以在宽阔的两堤之间自行流动；而到了洪水易发期间，又可以容纳较大的水量，不致漫溢泛滥，淹没田舍。为了加固堤防，他率人“树以荆棘，以固其地；杂之以柏杨，以备决水，民得其饶，是谓流膏”。就是说在堤埂上种灌木，栽柏杨树，这样一方面可以坚固土壤，防止水土流失，另一方面一旦决堤，还可以就地伐木来堵住决口。在不需要防汛的年份，民众又可以伐作木料，可谓一举多得。白圭的防洪方法，主要是依靠堤防，勤查勤补，一发现小洞，立即填塞，不让其由小洞而逐渐扩大、决口，造成大祸。所以白圭任魏相期间，魏国基本没有闹过水灾。

白圭发现穴居动物对堤防的侵害十分严重，尤其是白蚁和獾这两种动物，对堤防的安全构成了直接威胁。白蚁在堤防腹坝内营穴，不断生长繁衍，巢穴也就不断扩大。有时它们竟然能将堤防腹坝掏空，人们却很难从外部发现，一旦水涨，水流冲刷蚁穴，很容易造成大堤溃决，水泛成灾。为了消灭这类敌害，白圭不辞劳苦，起早摸黑，仔细观察白蚁的生活习性，掌握了它们的活动规律，从而能够很精确地从外部的迹象发现堤内的蝼蚁之穴。针对蝼蚁之患，他想出了“挖、塞、灌、熏”等根治办法。所谓“挖”，即挖出蚁穴；“塞”即用黏土和泥浆堵塞蚁穴；“灌”即用有毒之水灌注蚁穴；“熏”即用毒烟熏杀白蚁。以上办法在一定程度上确保了大堤的安全，白圭也因擅长堵塞堤防和消除蚁穴而著称。

《韩非子·喻老》记载：“千丈之堤，以蝼蚁之穴溃，……白圭之行堤也，塞其穴……是以白圭无水难……”这正反映了白圭在筑堤护坝这一技术领域内的突出成就。

8. 白起

——巧夺天工穿长渠

白起(？—前 258 年)，又名公孙起，战国时期秦国眉县(今陕西眉县东北)人，著名的军事家、政治家。白起战功卓著，他一生“事秦昭王”，善于用兵，战无不克，为秦国的统一奠定了基础。同时，他开凿的白起渠(亦称长渠)，是我国历史上最早的“长藤结瓜”式水利工程，对后世农田水利事业的发展起到了重要作用。所以，后人也尊他为水利家。

秦昭王二十八年(前 287 年)，白起在连克韩、魏、赵 68 座城池后，又取得了进攻楚国鄢、邓两地的胜利，势如破竹。第二年，白起率大军直逼楚国国都郢(今湖北江陵西北)，楚军死守坚城，不肯迎战。秦军远征而来，粮草运输困难，这样耗下去很可能会被楚国扭转败局。身为大良造(官职名，战国初期为秦的最高官职，掌握军政大权)的白起苦思破敌之策，一天他来到离郢都不远的夷水(今蛮河)边上，看着河水奔流不息，突然想到了用水作为攻城利器的办法。

白起仔细勘察了地形，调集十余万士卒在夷水和郢都之间开挖了一条引水渠。为了节省工量，白起设计的引水渠刚好通过了河东的土门陂和新陂两大陂塘。渠道凿成后，白起命士卒在夷水上建坝拦水，抬高水位，使之改道东流。夷水穿过两大陂塘，径直冲向郢都，汹涌的洪水使楚军死伤大半，楚襄王仓皇而逃。

白起进城后实行了鼓励耕织、发展生产的安抚政策。为使战前开凿的水渠为农所用，他又发动兵卒将渠继续延伸。渠入郢都后，“北积为熨斗

陂”，经臭池，入朱湖陂，最后与木里沟相连，形成了我国最早的陂塘串联工程——白起渠。关于白起渠的具体情况，《水经注·沔水》记载道：“夷水又东注于沔。昔白起攻楚，引西山长谷水，即是水也。旧堨去城一百许里，水从城西，灌城东入，注为渊，今熨斗陂是也。水溃城东北角，百姓随水流死于城东者，数十万，城东皆臭，因名其陂为臭池。后人因其渠流，以结陂田。城西陂谓之新陂，覆地数十顷，西北又为土门陂，从平路渠以北，木兰桥以南，西极土门山，东跨大道，水流周通……其水又东出城，东注臭池，臭池溉田，陂水散流，又入朱湖陂，朱湖陂亦下灌诸田，余水又下入木里沟。”

白起渠一渠穿五陂，灌溉了大片农田，《水经注》记白起渠灌田 3 000 顷，木里沟灌田 700 顷。白起渠后来演变为长渠，唐、北宋、南宋、元前后五次对此渠进行大规模的复修、延伸。今长渠西起南漳县谢家台，东至宜城市赤湖，蜿蜒 47 公里，灌田 30 多万亩。长渠能够充分发挥各陂塘的调蓄作用，提高整个渠系的灌溉能力，由于蛮河水不断补给陂塘，各陂塘之间又可以互相调济，从而克服了孤塘独陂水源得不到保证的困难，在成功解决了蓄水面积、陂塘容积和灌溉面积之间不平衡问题的同时，有效增强了灌区的抗洪能力。早在 2 200 多年前，白起能够在农田灌溉系统上做出如此创新，真可谓巧夺天工。

9. 李冰

——"川祖"修建都江堰

李冰(生卒年不详),四川人,战国时期秦国著名水利专家,都江堰的设计者和兴建的组织者。秦昭王五十一年(前256年),秦王决定任命李冰为蜀郡守,彻底治理岷江水患。李冰在任期间修建了都江堰等水利工程,排除重重险阻,励精图治,造福了一方百姓。

当年开明治水,主要目的是解决岷江的水害。而李冰治水的主要目的,则在于开发岷江的水利,即利用岷江丰富的水资源来发展成都平原的农业和航运。

李冰学识渊博,"知天文地理"。他经过实地调查,发现开明所凿的引水工程渠首选择不合理,因而废除了开明开凿的引水口,把都江堰的引水口上移至成都平原冲积扇的顶部灌县玉垒山处,这样可以保证较大的引水量和形成通畅的渠首网,确定"引水以灌田,分洪以灭灾"的方针来治理水患。为了使岷江的水能够东流,李冰首先把玉垒山凿开了一个20米宽的口子,被分开的玉垒山的末端,状如大石堆,此即后人所谓的"离堆"。此外,还采取了在江中心构筑分水堰的办法,把江水分作两支,逼使其中一支流进宝瓶口。修筑分水堰时,先是采用江心抛石筑堰的方法。此法失败后,李冰另辟新路,让竹工编成长三丈、宽二尺的大竹笼,装满鹅卵石,然后一个一个地沉入江底,终于战胜了湍急的江水,筑成了分水大堤。大堤前端开头犹如鱼头,

所以取名为“鱼嘴”。它迎向岷江上游，把汹涌而来的江水分成东西两股。西股的叫外江，是岷江的正流；东股的叫内江，是灌溉渠系的总干渠；渠首就是宝瓶口，流经宝瓶口再分成许多大小沟渠河道，组成一个纵横交错的扇形水网，灌溉成都平原的千里农田。分水堰两侧垒砌大卵石护堤，靠内江一侧的叫内金刚堤，外江一侧的叫外金刚堤，也称“金堤”。分水堰建成以后，内江灌溉的成都平原就很少有水旱灾害了。

除都江堰外，李冰还主持修建了岷江流域的其他水利工程，可惜这些水利工程，史籍均无专门记述，详情已不可考。

李冰修建的都江堰水利工程，不仅在中国水利史上，而且在世界水利史上也占有光辉的一页。它悠久的历史举世闻名，它设计之完备令人惊叹。我国古代兴修了许多水利工程，许多都已废弃，但李冰修建的都江堰至今仍在发挥着防洪灌溉和运输等重要作用。

李冰为蜀地的发展作出了不可磨灭的贡献，人们永远怀念他。2 000 多年来，四川人民将李冰尊为“川祖”。1974 年，人们在都江堰枢纽工程工地上，发掘出了李冰的石像，其上题记：“故蜀郡李府郡讳冰。”这说明早在 1 800 年前，李冰的业绩就已为人民所传颂。今人对李冰的功绩也极为赞赏。1955 年，郭沫若到灌县时，题词曰：“李冰掘离堆，凿盐井，不仅嘉惠蜀人，实为中国二千数百年前卓越之工程技术专家。”

10. 郑

——“疲秦”终成郑国渠

郑国（生卒年不详），战国末期水利专家，韩国（今河南中西部一带，一说今郑州）人。郑国以他在秦国主持兴建的郑国渠而名留青史。郑国渠是战国时期继都江堰之后又一著名水利工程，它的兴建对增强秦国的经济实力和完成统一大业起了重要作用。

公元前256年，商鞅施行变法，为郑国渠的修建埋下了种子。秦国地广人稀，商鞅鼓励开垦土地，兴修水利。商鞅奖励耕战的政策使秦国迅速强大，野心勃勃的秦国开始把目光投向邻国韩国，因为韩国位于秦国东出函谷关的交通要道上，成为秦东扩的障碍。危难之际，韩国国君韩桓惠王想出一个救亡图存的计策：他听说秦国正在大兴水利，随即派水工郑国赴秦，帮助秦国发展水利事业，想以此耗费秦国财力、物力、人力，牵制秦国，使其无暇东顾。此计曰“疲秦计”。

郑国入秦后，跋山涉水，实地勘测，访百姓，找水源，观测地形，多方论证，最终确定了打通泾河、洛水，建成两河引泾灌区的方案。开工后，秦王识破韩桓惠王的“疲秦”之计，暴怒之下决定处死郑国。郑国却非常镇定地说道：“始臣为间，然渠成亦秦之利也，臣为韩延数岁之命，而为秦建万世之功。”（《汉书·沟洫志》）。这番话深深打动了秦王。富国强民，一统天下，没有雄厚的经济实力不行，而发展农业又不得不依赖于水利建设。因此，对郑

国的这番话，“秦以为然，卒使就渠”。用了十年时间，郑国渠终于在公元前236年修建成功。它和都江堰一北一南，遥相呼应，使关中与蜀地成为秦国取之不竭、用之不尽的两大粮仓。据史学家估计，郑国渠灌溉的115万亩良田，足以供应秦国60万大军的军粮。六年后，秦军直指韩国。又过了九年，秦灭六国，一统天下。

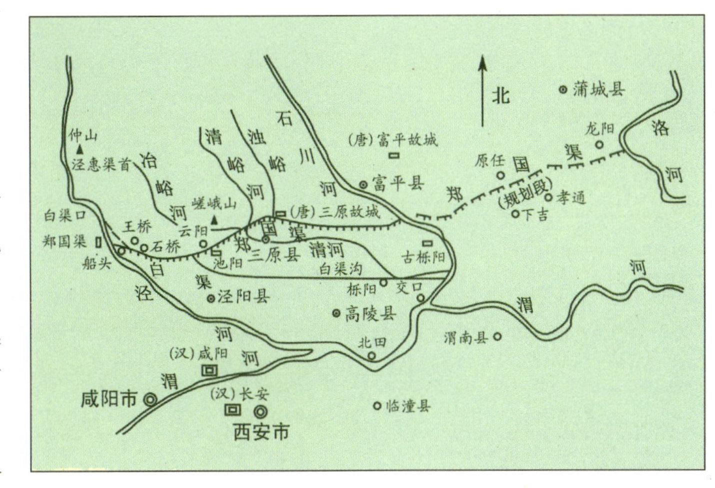

郑国渠起自今天的陕西礼泉县东北，引泾水东流，至今三原县北汇合浊水及石川河水道，再引流东经今富平县、蒲城县以南，注入洛水，渠全长300余里。郑国开凿郑国渠时，客观上仍会考虑如何兴水之利，造福百姓。因此，郑国设计的引泾水灌溉工程充分利用了关中平原西北高、东南低的地形特点，使渠水由高向低实现自流灌溉。为保证灌溉用水源，郑国渠采用独特的“横绝”技术，通过拦堵沿途的清峪河、浊峪河等河，让河水流入郑国渠。郑国渠巧妙连通泾河、洛水，取之于水，用之于地，又归之于水。即使在今天看来，这样的设计也可谓独具匠心。

在岁月的流逝中，郑国渠渐渐湮废了，但它一直吸引着人们探寻的目光。1985年冬，陕西省文物保护中心的秦建明来到泾河边，终于寻找到了失踪的郑国渠。秦建明经研究发现，在泾河瓠口一带湾里王村和上然村之间一道被叫作老虎岭的地方，就是2 000多年前的郑国渠渠首遗址。迷失千年的郑国渠终于浮出水面。而作为这项工程的总负责人，郑国一直以来都为人们所缅怀。

11. 黄

——倾心治理黄浦江

黄歇(? —前238年),名歇,亦即春申君,战国时楚国人。他与魏国的信陵君魏无忌、齐国孟尝君田文、赵国平原君赵胜合称“战国四公子”。考烈王时,黄歇官拜令尹,封春申君,以淮北12县为封地。黄歇一生爱贤任能,门下有食客三千。他在受封吴地时大兴水利,造福百姓,一手造就了如今被上海人称为母亲河的黄浦江,而黄歇本人,也被人们尊称为“黄浦江之父”。

滔滔的黄浦江不仅是上海灿烂文化的象征,也是上海历史的见证。古往今来,许多历史文化名人都在黄浦滩上留下了光辉的足迹。黄浦江是我国历史上最早人工开凿疏浚的河流之一,它源于青浦县的淀山湖,至吴淞口入长江,全长114公里,平均宽约400米。黄浦江贯穿上海百里港区,沿岸虽无名山秀岭可供观赏,但却有其独特的韵味。

据说很久以前,上海曾是一片荒凉的沼泽地,中间蜿蜒流淌着一条河床很浅的小河。雨水多了,就泛滥成灾;雨水少了,又河底朝天。人们深受其害,咒之为“断头河”。河两岸的老百姓,早出晚归忙于生计,却仍然很难糊口。黄歇来到这“断头河”河畔,不辞辛劳地弄清水流规律,带领百姓疏浚治理,使之向北直接入长江口,一泻而入东海。从此大江两岸旱涝保收,人们安居乐业,逐渐富庶。人们感激黄歇的恩德,便将这条大江称作黄歇江,简称黄浦。后来由于黄歇被封为春申君,便又名春申江。相传在河水整治工程即将大功告成时,疏河资金却所剩无几,春申君很着急,就回家和夫人商

量，最后拿出了夫人陪嫁的银子用于修河。春申君的义举感动了当地老百姓，家家户户纷纷解囊，很快凑齐了所需资金，工程得以继续并顺利完工。

《太湖水利史稿》中提到黄歇："治水入江，导流入海。"为纪念他治水的功绩，人们将他率先治理拓浚的河道称作"黄歇浦"。后吴淞江淤积严重，河道日小，而黄歇浦则逐渐演变成太湖入海的主要通道，明朝以后，黄歇浦易名为黄浦江。而上海简称为申，也源于此。

当时的吴地，到处是荒河蛮沼，杂草丛生，百姓的生活环境极其恶劣。早在治理"断头河"之前，春申君就曾带领百姓改造了无锡湖。无锡湖位于今无锡和常州两地之间，现已湮灭，春秋战国时期是面积达 15 000 多顷的沼泽地。春申君将无锡湖大片的沼泽地改造为能蓄水的陂塘。在此基础上，他开渠引水灌溉胥卑农田，又凿渠将灌田尾水排往大湖(今太湖)。这就是《越绝书・吴地传》所记载的："无锡湖者，春申君治以为陂。凿语昭渎以东到大田。田名胥卑。凿胥卑下以南注大湖，以泻四野。"在春申君的治理下，荒沼成沃野，水害变水利，百姓生活日益富足。

如今上海已发展成为一座国际化大都市，奔腾不息的黄浦江以其特有的韵味装扮着这座繁华的城市。黄浦江渊源流长数千年，见证了历史，见证了荣耀，而作为"黄浦江之父"的黄歇，更是让世人称颂至今。

12. 西门豹

——兴建引漳十二渠

西门豹，姓西门，名豹。生卒年不详，战国时期魏国人。古代著名的政治家、水利家。

魏国当时有个叫邺（今河北临漳县西南）的地方，夹在赵国与韩国中间，是一个军事要地。鉴于西门豹是一个精明能干、关心百姓疾苦的人，魏文侯便任命他去邺地做了邺令。

流经邺地的漳水是条时令性很强的河流，冬天几近枯竭，夏秋雨季来时却山洪暴发，恣意汪洋，淹没田地家舍。这时候地方上的贪官勾结巫婆、豪绅，欺骗百姓，说什么漳河闹灾是“河伯显灵”，要想水患不起、过上安宁的日子，必须每年选送一位漂亮的姑娘去给“河伯”做媳妇。这些人借为“河伯”娶亲之际大肆搜刮民脂，天灾加人祸，使得当地百姓简直没法继续生存下去。魏文侯二十五年（前 422 年），西门豹到了邺地，他决定破除迷信，为百姓造福。后来在“河伯”娶亲的现场，西门豹不动声色，采用了请君入瓮的办法严厉惩治了巫婆和贪官豪绅，揭穿了“河伯”娶亲的骗局。

要想造福百姓，关键还得治河。在揭穿“河伯”娶亲的骗局后，西门豹很快请来魏国的能工巧匠，一起查看漳水地形，进行规划设计，在 20 里的漳河段上建造了 12 道低溢流堰，每个堰坝上游开一个引水口，设置闸门控制水

量，每口开凿一条渠道。12条引水灌渠保证了邺地境内农田的灌溉，这就是著名的“引漳十二渠”，是我国最早的多首制大型引水渠系。史料记载了工程的做法：“二十里做十二墩，墩相去三百步，令互相灌注。一源分为十二流，皆悬水门。”后据考证，引漳十二渠的渠首位于漳水出山口处，引水口都在南岸，那里地势很高，土地坚硬，河床相对稳定，加之河水泥沙较大，设计采用多水口方式，引水方便的同时也利于灌溉。

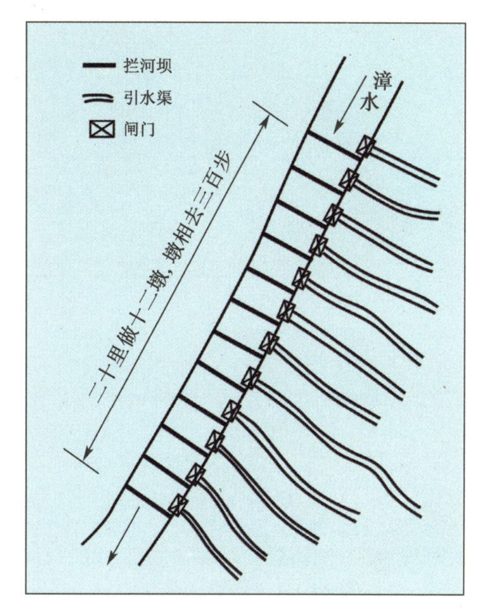

引漳十二渠在丰水期可以分流泄洪，枯水期可以引水灌溉，两岸百姓的生命财产得到了保障；同时漳水含有大量细粒泥沙，有机质肥料丰富，引水灌溉能够落淤肥田，两岸盐碱地的土质得以改善，据说农作物的产量较以前提高了八倍之多。引漳十二渠让邺地由以前的荒芜之地“成为膏腴”，水利的开发加速了经济的发展，魏国随之也愈加富强。

在修建引漳十二渠的过程中，西门豹充分表现出了他克己奉公的优秀品质。在孩子因病夭折时，他仍然坚持在治水前线，他捎给妻子的回信是：“修好了水利工程，将会使更多的孩子获得新生。”

可是，西门豹这样一位对魏国有巨大贡献的人物，最后却遭国君杀害。原因是国君听信当地乡官豪绅谗言，说他在修建引漳十二渠时滥用民工，加重了百姓负担。西门豹虽然被杀害了，但他那忘我为民、兴利除害的形象却永远留在了人们的心中。千百年来，河伯娶亲的故事被人们津津乐道。西门豹所主持建造的引漳十二渠更是发挥了1 000多年的作用。《史记》称赞道：“故西门豹为邺令，名闻天下，泽流后世，无绝已时，几可谓非贤大夫哉！”

13. 史禄

——灵渠巧连湘漓水

史禄，秦朝人，或称监禄，名禄，史系官职，并非姓氏。史料对禄的记载极为简略，以致连他的姓氏和生卒籍贯都无法考证。史禄曾经受命主持兴建了著名的灵渠工程，打通了长江和珠江两大水系，对祖国的统一、南北经济文化的交流、民族的融合起到了非常重要的作用，也使他名垂青史。

灵渠（亦名陡河或兴安运河）位于今广西兴安县，地处南岭山脉湘桂走廊，在湘桂铁路、京广铁路通车以前的 2 000 多年里，一直是内地连通岭南的主要通道。当年南越诸部落在秦国边境滋事生非，为了巩固边疆、拓展疆域，秦王出兵 50 万大举进攻南越。由于南岭山脉阻隔，路途遥远，行军、补给都很困难，秦军为此一度受挫，秦王深为烦忧。最后决定“使监禄凿渠运粮”，化解危机。

史禄到了南岭山脉，发现这里是长江水系和珠江水系的分水岭，兴安县刚好坐落在山脉的最低处，往西，漓江西南流，汇入珠江；往东，湘江东北流，注入长江。湘江上源与漓江支流始安水最近处只有 1.7 公里，中间隔着一座名叫太史庙山的小山。经过反复考察、周密设计，史禄带领数十万人，花了五年多时间，于始皇三十三年（前 214 年）前后凿成了灵渠。灵渠沟通了岭南河道，长江上的船只可以经湘江，穿灵渠，入漓江，抵达珠江，从而把中原和岭南连到了一起。有了这条水路保证军需物资的补给，秦国很快打下了

岭南。

史禄设计的灵渠主要由分水工程、南渠和北渠三部分组成。分水建筑物位于湘江上游，前锐后钝，行似犁铧，故名铧嘴。其位置偏向湘江左岸，顶端直伸上游，帮助大小天平合理分水，三分入漓江，七分归湘江。巨石砌成的人字堤紧接在铧嘴后面，呈 108 度，内高外低，形成斜面，靠南渠的一侧叫小天平，靠北渠的一侧叫大天平，大小天平兼有拦水、分水和泻水的功能。南渠由渠首开始到注入漓江的灵河口止，长 33 公里，其间筑有秦堤，秦堤上建有两座泻水天平，为侧向溢流堰。过了分水岭，南渠河道有一段穿行于山区，坡陡流急，为了防止枯水季行船水量不足，特地修建了许多斗门，相当于现在的船闸，以利船只航行，兴盛时期斗门曾达到 36 座之多，其应用比欧洲船闸的出现早了足足七八百年。北渠位于湘江故道右侧，它虽然不长，选线定位却颇具科学性：如果利用湘江故道直接开挖，则船只会因为坡降太大而无法行驶，而且还会影响到铧嘴的分水效果，于是史禄等人故意把北渠挖得蜿蜒曲折，在原来仅 2 公里长的地段上挖出了 4 公里的渠道，这样水流变缓、水位上升，船只就可以自由通行了。

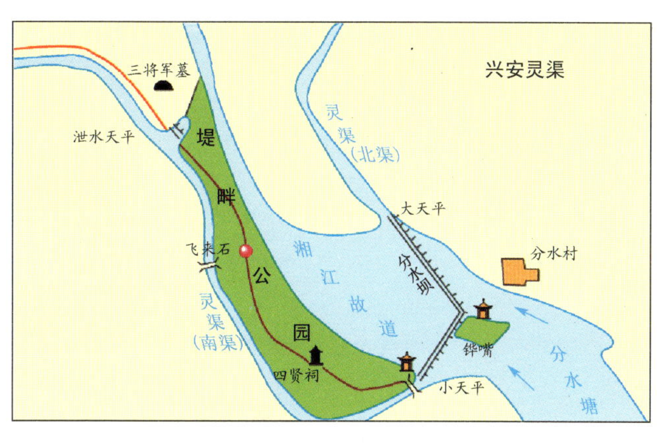

灵渠历经修整，一直为民所用，它不但可以通漕运，而且还能提供农田灌溉和城镇用水。虽然随着京广和湘桂两大铁路的开通，灵渠逐渐失去了当初的航运功能，但其在灌溉和供水方面却发挥着越来越大的作用，而且如今的灵渠也已经成为驰名中外的旅游胜地。

14. 倪宽

——制定《水令》广溉田

倪宽(? —前103年),西汉千乘(今山东省高青县北)人。治《尚书》,为大儒孔安国弟子,读书勤奋,学养深厚。官至御史大夫,曾与司马迁等共同制定了“太初历”。武帝元鼎四年,倪宽升任中大夫,继而又升迁为左内史。据记载:“宽既治民,劝农业,缓刑罚,理狱讼,卑体下士,务在于得人心;择用仁厚士,推情与下,不求名声,吏民大信爱之。”可见,倪宽在任期间非常重视农业和水利。

元鼎六年(前111年),“宽表奏开六辅渠,定水令以广溉田”,汉武帝采纳了他的建议,并令他主持在郑国渠上游北岸开凿六条辅助性渠道,以扩大这一带的灌溉面积。当时郑国渠已建成126年,部分渠段年久失修,六辅渠可以说是郑国渠的扩建工程。倪宽纵览全局,因势利导,合理规划,带领民众凿成了六辅渠,使关中河渠成网,大大提高了当地的灌溉效率,实现了扩大灌溉面积的初衷。六辅渠的建成,充分显示了倪宽的水利才华。关于这次施工,班固在他的《汉书·沟洫志》中作了明确记载:“穿凿六辅渠,以益溉郑国渠旁高仰之田。”指出六辅渠所灌溉的农田,正是位于郑国渠旁的那些由于地势较高而郑国渠无法自流灌溉的农田。但是,六辅渠具体在什么地方,又引用了什么水源?由于缺乏翔实的史料,如今这些问题已经无法考证。一般认为,六辅渠引的是

冶峪、清峪、浊峪等小股水流。

汉武帝在六辅渠完工以后曾发出一番感慨:“农,天下之本也。泉流灌浸,所以育五谷也。左右内史地名山川原甚众,细民未知其利,故为通沟渎,蓄陂泽,所以备旱也。”这体现了古时“以农为本”的基本国策,反映了西汉王朝对水利的重视程度,同时它也是汉武帝对倪宽治水功绩和水利才华的肯定。正因为西汉如此重视兴修水利,发展农业生产,才出现了国富民强的盛世景象。

倪宽在领导兴修水利之际,在六辅渠的管理方面积极探索创造,制定了灌溉用水制度——“定水令,以广溉田”。这在我国尚属首次。《水令》的制定,促使人们合理用水,扩大了灌溉面积。很可惜的是,这一宝贵历史资料早已散佚,今人已无法知道它的全部内容,“定水令,以广溉田”这七个字是仅存的文献资料。

我国的水利管理规章,从春秋时期各诸侯国之间订立“无曲防”的条约算起,约有 2 500 年历史,而最早形成制度的记载正是倪宽的“定水令,以广溉田”和召信臣的“均水约束”。倪宽的《水令》为我国水利由单纯的开发到注重水资源的管理,开辟了一个新的领域,使水最大限度地为民所用成为可能。倪宽也因此名彪史册,为人们所纪念。

15. 司马迁

——水利通史《河渠书》

司马迁(约前 145—前 87 年),字子长,夏阳(今陕西韩城县南)人,著名历史学家。从小受父亲司马谈的影响,诵读古文经书;年轻时壮游天下,访遗老,察遗迹,观民风;后袭父职任太史令,饱读政府藏书;天汉二年(前 99 年)因替投降匈奴的李陵辩解,触怒汉武帝,遭宫刑。司马迁忍辱含垢,发愤著述,终成一部光耀千秋的《史记》。

《史记》为水利设置专篇,即《河渠书》。《河渠书》所记录的水利工程,从上古大禹治水开始,直至汉元封二年(前 109 年)黄河瓠子堵口,共 25 事,其中防洪 6 事、航运 3 事、灌溉 11 事、航运兼灌溉 5 事,所叙河流有黄河、长江、淮河、济水、淄水、漳水等。司马迁在该卷篇末,历叙他阅历过的江淮河济等众多水系和地区,最后感叹道:"甚哉,水之为利害也!"深刻地反映出他对水既可为利又可为害的两面性认识以及对水利问题的重视与关切。

《河渠书》在内容上有两大特点。首先,它不是对现有河渠作静态描述,如《水经注》那样分别记述某水系有某支流,发源某处,流经某地,沿途有何地形、地物、掌故,入于某川、某河、某海等,而是主要通过河道的开凿、治理过程,阐述人们变水害为水利的伟大实践。司马迁以极大的热情和兴趣对许多成功的事例和经验作了详细记述,同时他还怀着满腔郁愤,对豪门的阻挠与气数等迷信思想的干扰作了揭露。其次,司马迁为写《河渠书》曾作过长期大量的实际考察和研究工作,所以,该书不但真实性强,而且用语切中

肯綮。如写井渠的开凿，是由于“岸善崩”，褒斜道的失败是由于“水湍石”等，都正确反映了该地区的土壤、地形特征。为写禹迹，他曾沿江、淮、河三大河流最易出事的地段实地踏勘，而后悟出禹为何不径挽黄河东行入海，反而使它东北流入渤海湾的原因。他说这是由于自朔方至龙门一段，地势高，水流急，孟津以东地势渐低，落差太大，易生水灾，所以把它引入鲁西北的高地，以减小水势。这是一个很少有人提出的问题，司马迁不但提了出来，还作了正确的解答。

中国古代记述水道的著作，最早的当数《尚书·禹贡》，但专门记水道的应始自《史记·河渠书》。自《河渠书》开始，不但正史地方志将水道列为专节，而且还出现了如《水经注》那样的专门巨著，成为古代地理书的一个大类，这个意义实在非同小可。《河渠书》还首次明确赋予“水利”一词以治河修渠等带有专业色彩的工程技术性质，从而区别于先秦古籍中所谓“利在水”或以水利泛指“水产渔捕之利”的一般范畴。后世相承的“水利”概念，盖源于此。作为我国第一部水利通史，《史记·河渠书》为水利史学科的发展奠定了重要基石。

16. 召信臣

——“均水约束”立规章

召（音shào）信臣，生卒年不详，字翁卿，汉末九江郡寿春（今安徽寿县）人，西汉元帝时（前48—前33年）为南阳郡太守。从小勤奋好学，颇有志气，青年时已通晓经术，考中甲科（汉代课士分甲乙丙三科）举为郎（帝王侍从官），从此步入仕途。历任谷阳（今河南鹿邑县）长、上蔡（今河南上蔡）长、零陵太守、少府、谏议大夫、南阳郡太守等职，一生为民奔波，政绩斐然。

南阳历史上清官廉史，最受民众爱戴的还数召信臣和杜诗。他俩廉洁奉公，施政爱民，兴修水利，造福一方，被南阳人称之为“召父”、“杜母”，“父母官”的称谓从此传遍天下。

召信臣在担任南阳郡太守期间，对这一带水利有特殊贡献。他上任以后对当地进行了广泛的调查，随后提出了发展经济的种种措施，推广灌溉是其主要政绩。据史载：召信臣“行视郡中水泉，开通沟渎，起水门提阏凡数十处，以广溉灌，岁岁增加，多至三万顷，民得其利，蓄积有余”（《汉书·召信臣传》）。在他的带领下，几年之内，建设引水渠数十处，灌溉面积约合今200多万亩，十分可观。

召信臣不仅注重工程建设，而且重视灌溉管理。为了合理地调配用水，他制定了“均水约束”（《汉书·召信臣传》），刻在田边的石碑上，推行节约用水，免除用水纠纷。我国的用水管理制度，肇始于西汉武帝时左内史倪宽在关中六辅渠上制定的“水令”。召信臣的“均水约束”比“水令”更为完善详细，因而，历史上常把召信臣称为“中国用水管理之父”。由于发展了水利，再加上其他措施，南阳地区面貌有了较大的改观，“郡中莫不耕稼力田，百姓归之，户口增倍”。召信臣因而受到老百姓的拥戴，被誉为“召父”。

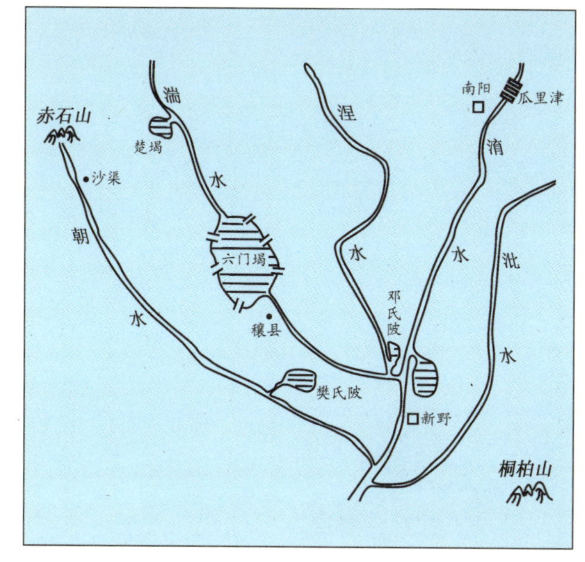

在召信臣兴建的数十处工程中，以六门堨(音 è)(又称六门陂)最为著名。它位于穰县(今邓县)之西，兴建于建昭五年(前 34 年)。该工程壅遏湍水，设三水门引水灌溉。元始五年(5 年)又扩建三石门，合为六门，因而称之为六门堨。水门引出的水分为 29 股，各入 29 个陂塘，再“溉穰、新野、昆阳三县五千余顷”(《水经・湍水注》)，是一个具有相当规模的大灌区。汉末六门堨曾一度荒废，晋太康年中杜预和刘宋时刘秀之又相继将其修复使用，直到唐代还十分兴盛。

召信臣兴修的水利工程、特别是他制定的水利管理规章——“均水约束”，都有力促进了古代水利事业的发展。他为政勤勉，亲自指导农耕，常出入于田间，住宿在民家，很少有安闲的时候。“百姓归之，户口增倍，盗贼狱讼衰止。”人民对他十分爱戴，他死后，南阳百姓修建了祠堂纪念他。班固在《汉书》中，两次将召信臣列为“治民”的名臣之一。

17. 贾让

——治河三策千古鉴

贾让(生卒年不详),西汉末年人,官居侍诏。曾应诏提出治理黄河的规划性意见,即著名的"贾让治河三策"。作为中国水利史上最早系统提出治河策略的人,其思想对后代影响很大。

历史上黄河下游经常决口和改道,给两岸人民带来了深重的灾难。汉哀帝初年,"河从魏郡以东、北多溢决",以至于"水迹难以分明"。面对险情,哀帝刘欣下诏书"博求能浚川疏河者",贾让应诏上书,他基于对黄河水患来源的实地考察和论证,提出了著名的"治河三策"。

在贾让看来,治河之上策应是:"徙冀州之民当水冲者,决黎阳遮害亭,放河使北入海。河西薄大山,东薄金堤,势不能远泛滥,期月自定",并"使秋水多,得有所休息"。这两个措施,一是人工改河,二是在河畔低洼地区围堤成泽,用作河道的滞洪区。贾让的治河上策还首次提出了"移民补偿"的概念,十分难得。贾让认为,上策是最优方案,如能实现,从此即可"河定民安,千载无患"。就在贾让提出上策十余年后,即王莽始建国三年,"河决魏郡,泛清河以东数郡",黄河在黎阳、濮阳一带决口,导致了史上第二次大改道。事实证明了贾让治河上策的正确性。

贾让的治河中策是:"多穿漕渠于冀州地,使民得以溉田,分杀水怒。"在贾让看来,若治河时化被动为主动不能实现,便可采取这个略为保守但也可收到一定成效的穿渠分水之中策。贾让沿大堤徒步考察,发现有一个叫淇

口的地方土质明显比其他地方坚固，导致此地的水面高出周边五尺之多，所以贾让建议从淇口以东修建石堤，广开水门，穿凿灌渠于冀州地，使民得以溉田，同时起到分杀水势的作用。贾让还总结说："通渠有三利，不通有三害。""三利"即：盐卤下湿；填淤加肥、禾稻增产；转漕舟船之便。"三害"即：百姓疏于治水，农闲时间将荒废；水行地上，民病木枯，卤不生谷；常有决溢之灾。贾让认为，这种分流杀势的方法"虽非圣人法，然亦救败术也"。

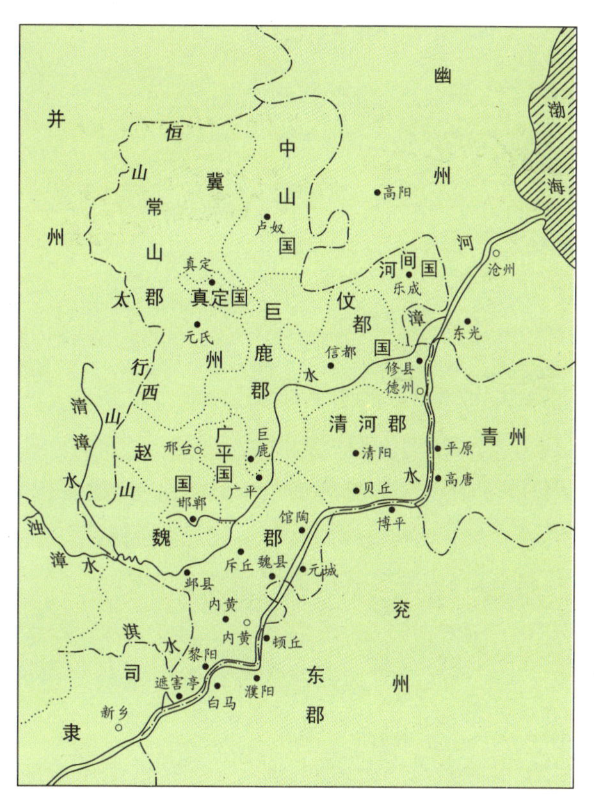

如果上述两策均不能采纳，那就只好施行保守而被动的下策："缮完故堤，增卑倍（培）薄"，在原来狭窄弯曲的河段上进行修补加固，以求一时之安宁。其后果必然是"劳费无已，数逢其害"。贾让认为，这是无奈中的最下策。

贾让的"治河三策"，是流传下来的我国最早的比较全面、系统的治河文献。他不仅提出了防御黄河洪水灾害的对策，还涉及到灌溉、放淤、治碱、通航等多方面的治理措施，并首次提出了"补偿时间"和"移民补偿"概念。可以说，贾让在2 000多年前提出的人工改河、分流洪水和巩固堤防的"治河三策"，是我国治黄史上第一个兴利除害的综合性规划。古人说："治河之策，贾让为千古之龟鉴。"直到今天，他的许多思想和方法仍有较强的针对性和较大的适用性。

18. 张戎

——以水冲沙治河策

张戎，字仲功，西汉末长安人，曾任大司马史。他“习溉灌事”，是一个深谙农田水利业务的水利专家。

自然界的任何一条河流，都是一个相对独立的生态系统，有其运行规律，也受到周围环境的影响和制约。如若违背其运行规律，就要产生灾害，酿成大祸。黄河历史上，就有过这样的情形。一是战国时期至西汉早期，先民们“与河争地”，原黄河的滩涂地变为大片的农舍和耕地，河道被压缩，加速了下游河床淤高，最终形成了地上悬河，致使“河高出民屋”，危险由此而知；另一是西汉时国家非常重视农田水利的建设和完善，黄河中上游一度出现了前所未有的水利建设高潮，这就引发了“与河争水”的悲剧。当时由于大量引黄河水灌溉，加之人口众多，枯水季节取水仍不加节制，致使进入下游河道的水量明显减少，流速变缓，河道输沙能力下降，河床越发淤积，决溢之患加剧。

总体来说，西汉时期是黄河中下游决溢、改道灾害高发期，民众深受其苦。其实在当时，大司马史张戎已经发现了“与河争水”这一问题，并指出了它的严重性，也提出了一些缓和和解决问题的办法，但却未能受到重视，非常遗憾。

元始四年(4 年)，安汉公王莽召集群臣征求治河意见，张戎欣然提出了自己的看法。他首先从根本上指出了黄河的特性：“水性就下，行疾则自刮除成空而稍深。河水重浊，号为一石水而六斗泥。”(《汉书·沟洫志》，下同)也就是说，水从来都是往低处流的，如果流速快，水流自身就可以冲刷河床，带走大量泥沙而不至于淤积堵塞河道。黄河水本身就很浑浊，一石水里有

六成是泥沙。接着张戎指出了人们违背黄河特性的错误做法："今西方诸郡，以至京师东行，民皆引河、渭山川水溉田。春夏干燥，少水时也，故使河流迟，贮淤而稍浅；雨多水暴至，则溢决。而国家数堤塞之，稍益高于平地，犹筑垣而居水也。"就是说，春夏之际，气候干燥，正是黄河的枯水季节，此时争相引水灌田，使得下游水量锐减，流速缓慢，无力输送泥沙，河床淤积抬高，河患增多，沿岸人民处于十分危险的境地。

根据以上认识，张戎认为人们应该根据黄河的特性来治理黄河，"可各顺从其性，无复灌溉，则百川流行，水道自利，无溢决之害矣"。针对当时具体的问题，张戎认为，应当适时限制黄河中上游地区灌溉引水，从而为下游增水冲沙。这是一个旨在调剂上下游合理用水的建议，它有利于增强下游河道中洪水的造床能力，提高水流的挟沙能力和河道生态的维护能力。这个建议当时虽未被采纳，但今日回顾之，人们仍能从中得到启发和教育。

张戎早在 2 000 多年前即从水流、泥沙角度分析河患成因，提出以水刷沙的主张，确实是有创见性的。特别是"河水重浊，号为一石水而六斗泥"的这句水利名言，为黄河水沙作了量的估计，对后世黄河治理具有重大意义，因而常为人们所引用。

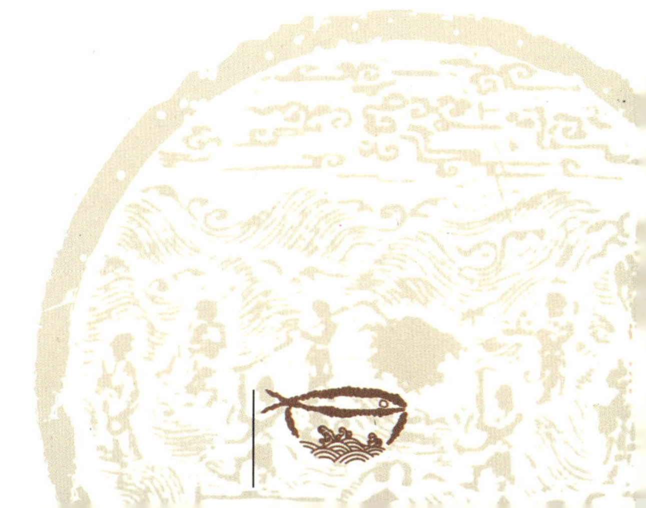

19. 杜诗

——德配“召父”泽南阳

杜诗（？—38 年），字公君（亦说君公），东汉河内郡汲县（今河南汲县西）人。杜诗青年时期就才华出众，以“公平”闻名乡里，曾历任侍御史、沛郡和汝南督尉等职。由于他办事果断干练，深受赏识，建武七年（31 年），光武帝擢升杜诗为南阳太守。

杜诗任南阳太守后，公正廉明，执法严厉，打击了郡内一帮豪强恶霸，树立了威信，整治了民风。同时，杜诗非常重视发展农田水利事业，“修召信臣遗迹，激用滍（音 zhì，今河南鲁山县、叶县境内的沙河）、淯（音 yù，河南省白河，为汉江支流）诸水，以浸原田万余顷。分疆刊石，使有定分。公私同利，众庶赖之”。“修治陂池，广拓土田，郡内比室殷足”（《后汉书・杜诗传》），南阳水利事业进一步兴盛，全郡百姓家家粮丰衣足。为此，百姓将他与西汉末年的南阳郡太守召信臣相比，称“前有召父，后有杜母”。

水 排

经过召信臣和杜诗两位太守的苦心经营，南阳地区逐步形成了陂塘星罗棋布、沟渠串联其间、“长藤结瓜”式的独特水利灌溉工程体系。如在淯水上筑坝引水的召渠，长 18 里，串联起樊氏陂、东陂、西陂、豫章大陂等。其中豫章大陂就“灌良畴三千许顷”。在沘（音 bǐ）水（今唐河）上还有大湖、赵渠等陂渠。这些串联起来的陂渠，统一使用，使灌溉效益更有保障。东汉著名科学家、文学家张衡（78—139 年）在

《南都赋》中曾盛赞南阳水利说："于其陂泽，则有钳卢玉池，赭阳东陂。贮水渟涔（音 tíng wū，指水聚集不流），亘望无涯……其水则开窦洒流，浸彼稻田，沟浍（音 kuài，田间排水道）脉连，隄塍（音 chéng，田埂）相輑（qún，相连之貌）。"在他的笔下，南阳的水利真可以说是盛况空前。

杜诗在南阳还有一项重要发明，就是水力鼓风设备——水排。以水力传动机械，使皮制的鼓风囊连续开合，将空气送入冶铁炉，铸造农具，用力少而见效多。杜诗发明水排，大大减轻了冶铁的劳动强度，提高了生产效率，为大量铸造优良的农业工具、发展南阳的农业生产创造了条件。至魏晋时期，这一水力机械已经普遍推广。水排的发明是我国古代科技史上一大成就，对后世发展水力机械具有重大意义。它比西方水排的出现早了 1 200 多年。

杜诗治政有方，功绩卓著，他在南阳郡任职的七年里，"政治清平，以诛暴立威，善于计略，省爱民役"；同时兴修水利，发展农业，还发明了水排以提高生产效率。但他从不居功，七年里曾两次上书，自请"退大郡，受小职"，即另任较低的官职，以开贤者升迁之路。他还经常向朝廷提出有益的建议。建武十四年（38 年），杜诗病卒。由于他为政清廉，没有任何田宅，死后竟然"丧无所归"，最后由郡府负责安葬。真可以说是：恩泽沐于当时，美名传之后世。

20. 刘馥

——一家三代献水利

刘馥，字元颖，三国时期魏国相县（今安徽濉溪县西北）人。生年无法考证，卒于建安十三年（208 年），官至扬州刺史。

扬州是魏国的三大重镇之一，是曹操抵御吴国的东南方前哨。由于地处前线，连年战争，造成“郡县残破，田园荒芜，人民背井离乡”的状况。建安五年（200 年）刘馥赴任。面对荒凉残破的景象，他“聚诸生，立学校，广屯田”，过了几年就大见成效，成千上万逃亡他乡的人重返家园。刘馥很注重兴修水利。著名的水利工程——芍陂（今安徽寿县南），由春秋中期楚令孙叔敖创建，后经东汉重修，“周一百二十里许”，由于战乱，日久不治，失去了原有的灌溉功能。刘馥为了开垦荒田，增加粮食产量，亲自率领百姓，日以继夜，重修了芍陂，使灌溉效益迅速恢复到万顷。同时，他还主持治理了茹陂（今河南固始县东南）和吴塘（今安徽潜山县西）等一批小型塘库工程，发展水利和渔业生产，使军民有蓄，“鱼膏数千斛”，军事和经济实力都大为增长。就在他死去的那年，吴王孙权曾率兵十万，围攻合肥城百余日，但未能攻取。“士民益追思之，陂塘之利”，足见他兴修水利所带来的巨大益处。

嘉平二年（250 年），也即距刘馥整修芍陂 40 年后，刘馥之子、时为镇北将军的刘靖“登梁山（今石景山）以观源流，相湿水（今永定河）以度形势”，经过亲自勘测，在他的脑海里勾勒出了一幅治理永定河、发展农田灌溉的水利

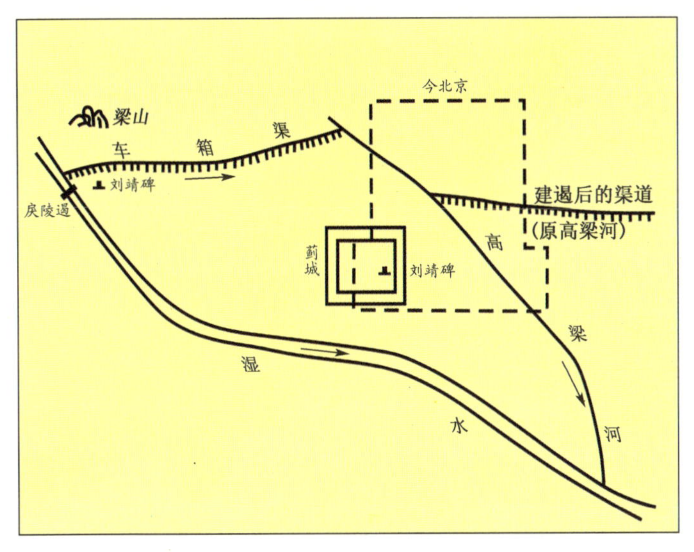

布局图。这一布局有两个重点，一是建立枢纽：在石景山西南永定河上两岸地势坚固的地方筑一道石笼堰，叫戾陵遏（又称戾陵堰），截住滔滔北来的湿水。堰“高一丈，东西长三十丈，南北广七十余步”。并在渠的北岸立一道水门，洪水汹涌时沿着戾陵遏东下，水势平缓时就从水门北面流入，灌溉农田。另一个是确定渠线走向，将渠道取名为车箱渠。车箱渠布置在堰下冲积平原的脊梁上，经蓟城西北入高梁河，返永定河，并充分利用原有的高梁河水。工程完成后，当年即“灌田二千顷”。以后又引车箱渠水至潞县（今通州），入潞河（今潮白河），长四五百里，共可浇地“万有余顷”。这是北京地区最早出现的大型灌溉工程。

刘靖之子、骁骑将军刘弘，于西晋元康四年（294 年）受命到幽州（今河北涿县）视事。就在刘弘到达幽州的第二年，戾陵堰和车箱渠出事。“（元康）五年夏六月，洪水暴出，毁损四分之三，乘北岸七十余丈，上渠，车箱所在漫溢”。刘弘“亲临山川，指授规略”，动员将士 2 000 多人开工修复，“起长岸，立石渠，修主堰，治水门。门广四丈，立水五尺”。不仅修复了戾陵堰，而且加固了车箱渠堤岸，改造了水门，取得了很大成效。

刘馥及儿子刘靖、孙子刘弘，祖孙三代，为我国古代水利事业作出了重要贡献，被称为水利世家。

21. 王景

——河汴分流千秋业

王景(约 20—90 年),字仲通,东汉时期琅琊不其(今山东即墨西南)人。王景博学多才,有很深的科技素养,尤其擅长于水利工程建设。他曾经主持过一次封建时代规模最大的治黄工程,使桀骜不驯的黄河安流 800 年,因此名扬天下。

西汉时期黄河经常决口。有一年,浚仪(今河南开封)附近的浚仪渠被黄河冲毁,王景前往协助修复浚仪渠。他采用"堰流法"使治河取得了成功。"堰流法"即在堤岸一侧设置侧向溢流堰,专门用来分洪,以此保住渠堤。这次治水的成功,使王景以"能理水"而闻名。

王莽始建国三年(11 年),黄河再次决口,其址位于魏郡。当时汴渠毁弃,导致今豫东、冀南、鲁西北大片土地被淹,且久治不谐。对于这次决口是否要治理,地方官员态度截然不同,皇帝也举棋不定。明帝刘庄执政后,情况变得更为严重,"汴渠东侵,日月弥广,而水门故处,皆在河中",明帝深感问题之严重。他听说王景善于治水,便命人召见。王景禀奏道:"河为汴害之源,汴为河害之表,河、汴分流,则运道无患,河、汴兼治,则得宜无穷。"明帝听完王景这么一分析,觉得很有道理,遂命王景主持治水事宜,"于东汉永平十三年发卒数十万,耗资百亿,以治河"。为了降低黄河决口的可能性,王景等人相度地势,另辟新径,选择了一条比较合理的引水入海路线,修筑了"自荥阳(今河

南荥阳东北）至千乘（今山东高青东北）海口千余里”的黄河两岸及汴渠的堤防，基本固定了黄河第二次大改道后的新河床，而且改变了黄河地上悬河的状况。为了使“河汴分流，复其旧迹”，王景也为汴渠规划了新渠线，即从渠首开始，河汴并行前进，然后主流行北济河故道，至长寿津转入黄河故道（又称王莽河道），以下又与黄河相分并行，直至千乘附近注入大海。而在济河故道另分一部分水“复其旧迹”，行原汴渠，专供漕运之用。其间王景在工程上不断求新，颇有创举，比如说沿河“十里立一水门”的做法，在保证引水的同时，起到了分流、分沙、削减洪峰的作用。

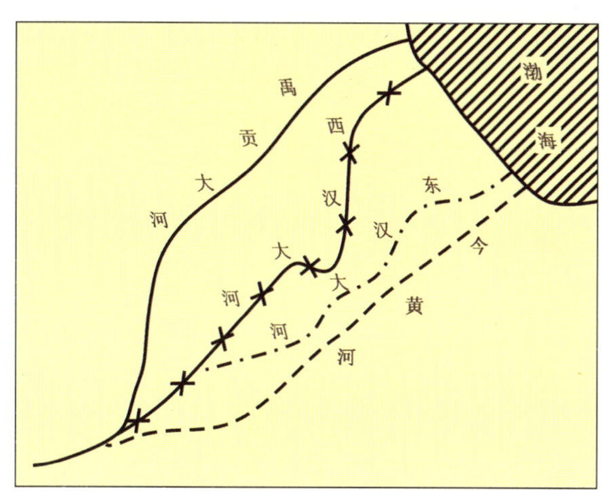

这次浩大的治黄工程，在王景周密的准备和正确的决策、领导下，进展非常顺利。次年夏天，滔滔黄河水沿着王景规划的河道驯服地流向了大海，汴渠面貌也随之一新，漕运事业又恢复了往日的兴旺。永平十三年夏，明帝亲临巡视，见舟楫往来如梭，大喜，当即封王景为“河堤谒者”（官名，掌管河事）。

王景此次治河成效卓著，从东汉末年直到大唐晚期，黄河水安流了800年之久，他的治河办法和经验也为历代治河者推崇和效法。后人赞道：“王景治河，千载无患。”近代水利之父李仪祉甚至说：“千古治河，唯禹景二个，潘靳只称半治。”

22. 马臻

——功成身灭皆鉴湖

马臻，字叔荐，生年不详，约卒于143年左右。东汉顺帝永和五年(140年)为会稽(今浙江绍兴市)太守，修建了我国古代最大的陂塘灌溉工程之一——鉴湖，为其后近千年绍兴地区农业的发展作出了巨大贡献。由于鉴湖是江南首见于记载的水利工程，马臻也因此被视作江南水利的奠基人。

如今的绍兴地区，在东汉时期从北到南依次是杭州湾、山阴会稽平原和高耸的会稽山脉；山间有几十条溪流，注入山麓众多的湖泊之中，形成了"山脉—湖群—平原—大海"的台阶式地形。东面有曹娥江，西面有浦阳江等水系，平原地区常受湖水倒灌。人们也曾修筑堤防，用于挡潮蓄水。但由于湖泊蓄水量有限，稍有旱情，便不能满足农田灌溉的需要。

马臻到任后，进行了艰苦的实地踏勘，在充分掌握了有关情况后，因势利导，巧妙设计了鉴湖工程。他将湖堤加高，又增筑新堤，使两者连为一体，共长127里。大堤以会稽郡城为中心，分为东西两大堤段，东段起五云门至曹娥江，堤长72里；西段起常禧门到浦阳江，堤长55里。这条人工大堤与南边会稽山麓围成了周长310里、宽约5里的狭长形大湖，这就是鉴湖，又名长湖、镜湖。由于东部地形略高于西部，马臻在湖中间又修了一条6里长的驿道作湖堤，把鉴湖分成两部分——东湖和西湖。由于水面高出堤外农田丈余，而农田又高出杭州湾海面丈余，于是形成了自流灌溉的态势，加上斗门、

闸、堰与涵道等一整套设施，使得鉴湖发挥了既能灌溉、又能排水的效用。

但是当鉴湖修成并开始蓄水后，随着水位的不断上升，触犯了地方豪强的利益。因为原来存在于湖泊间的土地、房屋和坟冢也不可避免地要被淹没一些，而其中大部分是地方豪强的。因此，鉴湖工程遭到了地方上豪强势力的激烈反对。结果，马臻在他们的诬告下含冤而死。当地人民知道马臻被处死后，都气愤异常。他们设法将马臻的遗骸运回，安葬于鉴湖之畔，建墓立庙，以示纪念。

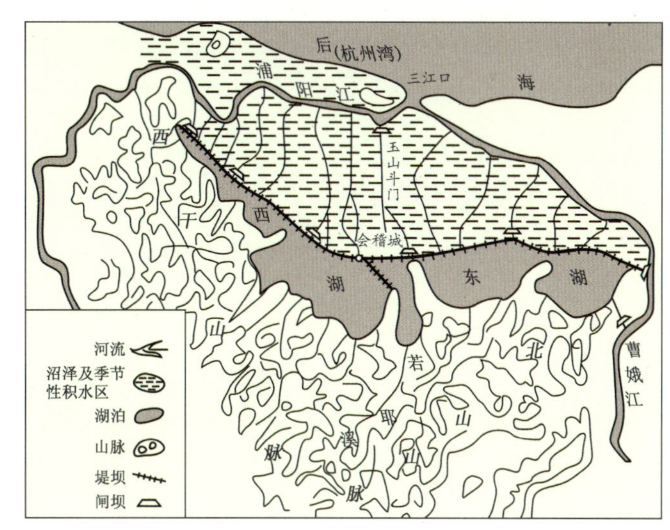

马臻虽然含冤而死，但鉴湖水利却蓬勃发展了近千年。到南朝宋大明年间(457—464 年)，这里已成村落众多，境内无荒废之田、田无旱涝之忧的繁荣之地。唐代时人们为马臻重修了祠庙，每年夏秋两季，都要举行隆重的祭祀仪式。到了宋朝，宋仁宗还于嘉祐四年(1059 年)颁发谕旨，册封马臻为“利济王”，对他表示极大的崇敬。

与历史上不少有名的陂塘灌溉工程相似，鉴湖也一直受到占垦的威胁。从北宋大中祥符年间开始，围垦活动渐渐多了起来。虽然朝廷屡下禁令，但效果不大，到熙宁末年(1077 年)时湖面已缩小了三分之一。元代鉴湖便已名存实亡，成了现今的绍兴平原。现在的绍兴平原上还有一些小湖，如百家湖、芝塘湖、鉴湖等，都是古鉴湖的遗址。但全部湖面加在一起，面积也已不到古鉴湖的十分之一了。

魏·晋·隋·唐

23. 司马孚

——河内治水泽万民

司马孚(180—272年),字叔达,河内郡温县(今河南省温县)人,司马懿之弟,魏文帝时曾任中书郎、骑都尉、河内典农等职,赐爵关内侯。明帝时进爵昌平亭侯,迁尚书令。晋武帝代魏后,封为安平献王。司马孚性格温厚谦让,以贞白自立。265年西晋代魏时,魏帝曹奂被贬为陈留王,迁往金墉城。司马孚前往拜辞,握着曹奂的手,泪流满面,不能自制,说:臣死的那天,也是纯粹的魏国之臣。这种忠诚之心,受到了人们的称颂。《晋书》赞其曰:"安平立节,雅性贞亮。"司马孚博涉经史,学养深厚,汉末动乱时,与兄弟在迁徙途中,仍不忘读书自学。同时,他在水利工程方面也有深刻的见解和较强的设计能力。

约在魏文帝黄初六年(225年),司马孚以典农中郎将的身份奉命至河内郡(治所在今河南沁阳),整修前代开发过的枋口引沁工程,"兴河内水利"。《水经注》有云:"河内郡野王县,西七十里,有沁水,左迳沁水城西,附城东南流也。""屈曲周迴,水道九百里,自太行以西,王屋以东,层岩高峻,天时霖雨,众谷走水,小石漂迸,木门朽败,稻田泛滥,岁功不成。"秦代时,曾在济源县治东北30公里处的五龙口,修建过枋口堰,即古秦渠,因其进水口门为木结构,年久失修,木门朽败,严重影响到灌区内的水稻生产。司马孚认真地进行实地调查,巡视了沁水的发源地铜鞮(音dī)山,考察了前代的灌溉设施。他发现沁水坡降陡,洪水时夹卵石而下,常撞坏易朽的木门,门坏则进

水过多，稻田泛滥。他又发现，堰口五里以外，有天然方石数万枚，可以用以垒砌石门。因此他提出要改木门为石门，这个建议得到魏文帝曹丕的批准。于是司马孚便率众从五里以外取方石数万块，“夹岸累石，结以为门，用代木枋门”。

改建石门后，农田的灌溉效益有了很大的提高，“若天晴旱，增堰进水；若天霖雨，陂泽充溢，则闭防断水，空渠衍涝，足以成河，云雨由人，经国之谋，暂劳永逸”。这样，既能避免雨季进水过多所造成的稻田泛滥，又保证了旱季稻田用水的需要，对农业生产具有重要的促进作用。晋人傅玄说：“近魏初课田，不务多其顷亩，但务修其功力，故自田（指旱田），收至十余斛，水田（指稻地），收数十斛。”可以看出，通过对引沁灌溉枢纽的改建，恢复了原来的灌溉功能，不仅扩大了稻田的面积，而且也使粮食产量提高了几倍，百姓的生活日益富足。

作为一名封建士大夫，司马孚能将自己的才华化为经世致用之学，在治水方面不拘泥于前人的做法，并将自己独到的见解付诸实践，造福一方百姓，实属难得。司马孚也因此在中国水利史上占有了一席之地。

24. 郦道元

——光耀千秋《水经注》

郦道元(约 466—527 年),字善长,南北朝时期北魏范阳涿鹿(今河北涿县)人。出生于官宦世家,本人也一生做官,历任长史、太守、刺史、尹与御史中尉等职,守过边关,打过仗,后被叛将杀害。他是我国古代卓越的地理学家和水利家,撰写了一部系统反映全国河道水系的历史地理综合性巨著——《水经注》,被称为"宇宙未有之奇书",为我国的科学文化事业作出了重大贡献。

郦道元在阅读地理古籍的过程中,十分重视前人研究的丰硕成果,但同时也深深感到其中存在很多的不足。《水经》虽然论述了全国主要河流水道,但缺少发展脉络,不够系统,而且书中许多记述互不相同,十分混乱。因此,郦道元决心为《水经》作注。

《水经注》共 40 卷(原书在宋代散佚 5 卷),30.3 万多字,记述了"一千二百五十二"条河流(实际上涉及的大小水道达 5 000 多条),比原著增加了近千条,文字增加 300 多倍,内容也丰富了许多。所以,郦道元名义上是注释《水经》,实际是在《水经》的基础上进行了规模宏大的再创作。

郦道元在给《水经》作注的过程中,很重视实地调查研究。他亲自考察了许多河流,遇到弄不清楚的问题,就向当地民众请教,掌握了丰富的第一手资料。同时,郦道元还"历览奇书",查看不少精详的地图。据统计,《水经注》中,引用书籍多达 437 种,主要是历史和地理方面的书籍,还摘录了不少汉、魏间的碑刻。郦道元对于前人的记录和研究成果,是批判地"掇其精

华”，而非照搬照抄。对其中遗漏和舛误的地方，均据实予以补充和纠正。不难想像，郦道元为这部书付出了多么艰苦的长期劳动。

《水经注》在写作体例上有其独到之处。它以水道为纲，详细记述了各地的地理状况，开创了古代综合性地理著作的一种新形式，涉及范围广泛。从地域上讲，郦道元虽然生活在南北朝对峙时期，但他并没有把目光局限于北魏统治的一隅，而是记载了全国的河流水道。从内容上讲，该书对 1 200 多条河流的发源地点、流经地区、河道变迁、支流分布以及河道上堰坝、斗门、堤防、护岸等情况都作了详细的记载，其中包括了 440 余处陂、塘、堰、渠、堤等农田水利工程及运河情况。书中不仅条理分明地详述了每条河流的水文情况，而且对流域内的其他自然现象，以及有关的历史事件和人物，都作了全面描述。同时，该书还包含了大量的佛教史料。

《水经注》是我国第一部以记载河道水系为主的综合性地理著作，它在历史、地理等诸多领域有着深远影响，在水利领域该书更是被奉为经典，无论是考察宏观的河流状貌，还是研究具体的水利工程，均能从中得到启示。同时该书文笔精妙，颇具文学性，李白、苏轼等大文豪都对其极为推崇。明清以后不少学者从各方面对它进行了深入细致的专门研究，形成了一门内容广泛的“郦学”。郦道元也因此声名卓著，现代日本地理学家米仓二郎曾称其为“中世纪全世界最伟大的地理学家”。

25. 姜师度

——“一心穿地”兴水利

姜师度(653—723 年),唐代魏州魏县(今河北魏县东南)人,明经出身,先后任易州、沧州、蒲州、陕州、同州等地刺史。因其所到之处必兴修水利,深受百姓爱戴,有“一心穿地”之美誉。

自唐太宗贞观年间起,唐王朝经历了 100 多年的和平发展时期。统治者吸取隋亡教训,在政治和经济方面积极推行改革,至唐玄宗开元天宝年间(713—756 年)呈现出百业俱兴的态势,其中农业尤为发达。为发展农业,唐统治者十分重视农田水利的开发与建设,颁布了我国历史上著名的综合性水法《水部式》,并把发展水利作为考核地方官吏政绩的一个重要标准。姜师度正是盛唐时期兴修水利的代表人物。

唐中宗神龙元年(705 年),姜师度升任易州刺史、河北道监察兼支度营田使。因北方契丹和奚两个游牧部族不时骚扰唐边境,姜师度针对游牧部族擅长马战的特点,在蓟门(今北京昌平西北)以北凿渠引水,形成大面积沼泽地,以限制骑兵的行动。同时,为方便向北部边境运输粮食,姜师度重开了东汉末曹操北征乌桓时兴建的平虏渠,使海上运输变为内河漕运,极大地避免了海运的风险,后世也深得其利。

神龙三年(707 年),姜师度在贝州经城县(今河北巨鹿东),利用黄河故道开浚张甲河以排除洪涝。不久,他又在沧州清池县(今河北沧州东南)引

浮水开渠：一条下注毛氏河，一条下注漳水，用以灌溉农田。

唐玄宗开元（713—741年）初，姜师度迁任陕州刺史。位于州城西的太原仓，是江淮粮食运往京都长安的水陆中转站，地位十分重要。以往仓内粮食都是靠人力搬运到黄河边装船，费时又费力。姜师度根据粮仓地势较高的条件，巧妙地设计了一条倾斜地道，并装上木滑槽通到岸边，使仓米由高处顺着滑槽直接下注入运船，大大提高了运输效率，并节省了工费。开元二年（714年），姜师度在华州华阴（今属陕西）西开凿了用作排洪的敷水渠，排除了当地的水患。

开元六年（718年），姜师度被任命为新设立的河中府（治今山西蒲州）府尹，此时他已年近古稀。河中府境内有一著名的盐池，历代以来都是极重要的食盐供应地和财政来源之一。因地势极低，很早就修筑了防洪工程。姜师度到任后，遭遇大旱，盐池逐渐干涸，产量急剧下降。于是他组织兵民，开沟引水，设置盐屯，使盐池恢复生机，公私皆收其利。

次年，改任同州刺史的姜师度根据地形、河流等特点，开渠引洛水通灵陂，并在黄河上作堰导水，使近于废弃的灌溉工程得以重新使用，贫瘠的2 000多亩废地成为上等田。并设立屯田点十多处，种植水稻，颇受玄宗皇帝褒奖。之后，他又在长安城内开渠引水，保证了城市供水和航运的需要。

姜师度一生致力于水利建设，为百姓造福，为国家谋利。《旧唐书》专为他立传，称赞“师度勤于为政，又有巧思，颇知沟洫之利”。

26. 白居易

——诗坛奇才筑“白堤”

白居易(772—846 年),字乐天,晚居香山,自号香山居士,原籍太原,后迁下邽(今陕西渭南。邽,音guī)。中唐著名诗人,现存诗 3 000 多首,有《白氏长庆集》。白居易诗歌题材广泛,敢于针砭当权者的弊政,反映民众疾苦,语言平易通俗。他是中唐新乐府运动的主要倡导人,并在诗歌理论上颇有建树,提出“文章合为时而著,歌诗合为事而作”的文学主张。

白居易在水利上也颇有功绩。人们所熟知的西湖白堤就是白居易主持修建的。

822 年,白居易被任命为杭州刺史。到达杭州后不久,白居易很快发现杭州一带的农田经常受到旱灾威胁,但是当地的官吏们也不愿放西湖水供百姓灌溉。思索良久,白居易认为官吏们不愿放水是害怕水太少了,如果加高堤坝,多蓄水,就有足够的水供百姓使用了。于是他排除重重阻力和非议,发动民工加高湖堤,修筑堤坝水闸,增加了湖水容量,解决了钱塘(今杭州)、盐官(今海宁)之间数十万亩农田的灌溉问题。另外还规定,西湖的大小水闸、斗门在不灌溉农田时,要及时封闭;发现有漏水之处,要及时修补。细心的白居易又担心当地官员不了解水利对百姓生产生活的影响,亲自撰写了《钱塘湖闸记》,刻在石碑上,详细地记载了堤坝的功用,以及蓄水、放水和保护堤坝的方法。当时的百姓们都围着争着来看这块石碑,当看到上面写着一寸湖水能灌溉多少顷农田的水量时,大家都为白居易深知百姓生活之艰难和如此精密设计水利工程而感动,纷纷要为白居易向朝廷请功。白

居易却咏诗道:“……税重多贫户,农饥足旱田,唯留一湖水,与汝救凶年。”他认为百姓的负担仍然很重,自己为百姓做的还远远不够。除此之外,白居易还组织群众重新疏浚了唐朝大历年间杭州刺史李泌在钱塘门、涌金门一带开凿的六口井,大大改善了居民的用水条件。

白居易在杭州做了三年刺史,他不仅注意为百姓修建水利工程,还特别注意西湖周围的生态环境的保护。有一次,白居易发现有人在挑土填湖,建造亭台楼阁,便派人明察暗访,终于弄清楚是附近某一官吏的亲戚在建造花园。白居易罚此官吏开葑田 100 亩。另有一次,白居易从灵隐道上散步回来,路上碰见一名农夫砍了山上的两棵树用来做柴火。白居易就对那人说,砍了树,下雨后山上的泥水就会冲进西湖。农夫遂按白居易的要求,回到山中补种了十棵树。

白居易诗歌创作中的忧国忧民精神,与他为官一方时造福百姓的实干精神,深为后人敬仰。人们把白居易在西湖边主持修建的大堤称为“白堤”,从而永远纪念他。如今的白堤,东起断桥,经锦带桥而至平湖秋月止,横亘湖面,拥外湖,揽里湖,连北山,接孤山,已成为西湖名胜之一。

27. 刘晏

——疏通漕运解粮难

刘晏(715—780年),字士安,曹州南华(今山东东明)人。八岁时,唐玄宗要封泰山,刘晏写了歌功颂德的文字献上,宰相张说考察了以后向皇帝报告,称此事是国家的祥瑞,玄宗就给了他"太子正字"的称号。从此,神童刘晏的名字传遍天下。

自秦代开始,首都地区的粮食由外地调入,水运称为"漕",陆运称为"转"。唐高宗把洛阳改为东都,在此后80多年的时间里,汴水漕运大大增加,到天宝元年,运到京都的漕粮达400万石,极一时之盛。由于采用由产地到长安的直运法,时间长达八九个月,损耗超过20%;又由于官府派富户督运,对百姓扰害甚大。"安史之乱"后,汴水沿岸处于军阀割据的混乱状态,河道阻塞,漕运一度中断,长安面临粮食危机。

广德元年(763年),"安史之乱"平定,次年代宗即任命刘晏为转运使,疏浚汴渠,让他专领东都、河南、江淮粮食盐铁转运事宜,凡漕事"亦皆决于晏"。刘晏由此挑起了改革漕运的重担。

可是,运河复航却并不容易实现。当时因转运江淮物资而发生的治水、劳力和治安等问题,都是非常棘手的。面对巨大的困难,刘晏开始进行大刀阔斧的改革:他第一步的工作是疏浚运河的水道,以免因淤塞而不便航运。第二步,由于运河与黄河间因战事的影响,劳力供给锐减,刘晏"始以盐利(政府因专卖食盐而得的利益)为漕佣"来另外雇人运输,而"不发丁男,不劳郡县"。这对于过去"州县取富人督漕挽,谓之船头"的办法是很大的改革。为保障航运的安全,除由政府于运河沿岸分别派遣军队驻防外,刘晏又把漕运船只及人员组织起来,以武职官吏承担护送和押运的任务。

刘晏还参照裴耀卿分段漕运的办法，使“江船不入汴，汴船不入河，河船不入渭；江南之运积扬州，汴河之运积河阴，河船之运积渭口，渭船之运入太仓，岁转输百一十万石，无升斗溺者”。鉴于江汴水力的不同，刘晏把这一段路程分为两节，以扬州为转运中心，由江南各地用船运来的物资，到了扬州便可卸下，再由那里另外用船经汴河运往河阴。他又在扬州制造可以直达三门的专用船 2 000 艘，每船载重千斛，“十船为纲，每纲三百人，篙工五十，自扬州遣将部送至河阴，上三门，‘号上门填阙船’，米斗减钱九十”，并“调巴、蜀、襄、汉麻枲竹筿为绹”，用作挽舟之用。刘晏“以为江、汴、河、渭水力不同”，又“各随便宜造运船，教漕卒”（《通鉴》卷226）。这些漕卒经过长期严格训练以后，“未十年，人人习河险”。

这些改革措施使运输时间大大缩短，运输损耗也基本消除。改革后，“轻货自扬子至汴州，每驮费钱二千二百，减九百，岁省十余万缗”，运至关中的漕米每年也恢复到 110 万石，保证了京师一带的粮食供应。当刘晏的第一批米运抵长安的时候，“天子（代宗）大悦，遣卫士以鼓吹迓东渭桥，驰使劳曰：卿，朕酇侯（萧何）也”！

28. 钱镠

——留得西湖翠浪翻

钱镠(音 liú)(852—932 年),字具美。出身贫穷,年轻时贩过盐,后为浙西镇将董昌的部将,黄巢起义军攻打浙东时,以小股兵力保住了临安(今杭州),因此被唐王朝封为都指挥使,唐昭宗景福二年(893 年)被提拔为镇海节度使。五代十国时期,朱温建立梁朝(史称"后梁"),钱镠因表示愿意称臣,被封作"吴越王"。吴越是当时的"十国"之一,钱镠居安思危,发展农业和贸易,民得安乐,在混战割据的局势下,吴越国虽小,经济却很繁荣。在兴修水利方面,钱镠也颇有功绩,民间称其为"海龙王"。

钱江水患时有发生。后梁开平四年(910 年)八月,钱镠下令筑捍(音 hàn,保护之意)海塘。前人筑塘都是泥土塘,经不起海潮冲击。钱镠择海浪冲击的要害地段——候潮门至涌江门外建起"双重海塘",以阻挡钱江潮对杭城的冲击。先在堤岸外侧用大木打下木桩 6 层,每层中间嵌以装有石头的竹笼,然后再用灰沙混凝土塞紧空隙处筑成外塘;在这条外塘内侧再筑石塘,置龙山、浙江两闸,防御潮水内灌。同时,又设水寨军,屯兵浒浦一带,常驻管理。后人称这条长塘为"钱氏捍海塘"。这样就使得杭州不再受潮水侵袭,原先的卤湿地区也逐渐变成良田。钱镠在兴筑捍海石塘后还率众凿平江中石滩,清除江流障碍,利于船舶通航,推动了吴越国与海外诸国的通商

联系。由于钱镠亲率弓弩手参加海塘工程，民间遂有“钱王射潮”的神话故事流传。

现有史料证明，“钱王射潮”指的并非筑塘一事，而是在吴越全境大兴水利。钱镠曾发动民众与军士筑杭州城，周围70里；在扩大杭城规模的同时，他还规划了杭州城市格局的主轴线——由南向北，沿着被称为“大河”的盐桥河，拓宽主干大道，以此大河和干道为纵贯全城之命脉。河水由西湖引水供应，源源入城，保持流动活水纯净，水上交通方便，居民用水亦赖此供给。河两岸自然形成密集的民居；干道两侧屋舍密布，形成闹市。大河有分支，主干道也从中轴向两侧延伸出许多街巷，颇有水乡城市之特色。为保护西湖等湖泊免受淤塞，钱镠建“撩湖兵制”，令定期挖掘淤泥，芟除葑草，疏通水源，建闸造堰，蓄水泄洪，水边植树，美化西湖，后人有“留得西湖翠浪翻”的诗句赞美钱镠。他还狠抓越州的鉴湖治理，在鉴湖修造堰闸，清理湖底。“旱则运水溉田，涝则引水出田”。得到了疏浚的鉴湖，“水利大备，民得致力农桑”。

在太湖流域，钱镠把唐代设立的营田使和都水监两个机构合并为都水营田使，负责组织和指挥全国的治水治田工作，并建立专门从事太湖治水治田、维修养护工作的撩浅军，“常为田事，治河筑堤”。

钱镠修筑捍海塘，疏浚西湖，清理鉴湖，治理太湖，建设苏州、杭州城，勾勒出了“上有天堂，下有苏杭”的美景。多项水利工程的兴修为两浙农业经济的发展创造了良好的条件，使两浙农业生产得到较大的恢复和发展，“钱塘富庶由是盛于东南”。

宋·元·明·清

29. 何承矩

——抗辽卫国兴水利

何承矩(946—1006 年),字正则,河南洛阳人。宋代太宗太平兴国五年知河南府,徙知潭州。端拱元年(988 年)为沧州节度副使,又为制置河北沿边屯田使。淳化四年(993 年)知沧州,逾年徙雄州。何承矩在中国水利史上最为重要的贡献是开发和改造了白洋淀,使其发挥了巨大的军事和灌溉功能,为北宋抗辽卫国作出了贡献。

宋太宗时,由于对辽作战失利,北宋对辽转攻为守。为了抵御辽国的进攻,何承矩提出利用当年河北塘泊的地形,在今大清河和海河一线构筑水上防线。在构筑塘泊防线时,时任六宅使的何承矩,镇守雄州瓦桥关。为了秘密勘察地形水势,确定关塞的设计规划,他每天与部下聚会,在湖泽(今白洋淀)中驾船饮酒观赏蓼花,他们一边观赏,一边作"蓼花吟",总计作出了十多首。他不仅自己作诗,还要在座的人唱和。何承矩明为游玩,实际暗中将淀中塘泊的地形水势画成详图,秘密传到京师。大家只是觉得他在游山玩水,不解其真意,但何承矩"自此始壅诸淀,以御辽兵"。在勘察好地形水势之后,宋太宗任命何承矩为制置河北沿边屯田使,调发了各州镇兵 18 000 名,在雄、莫、霸、平戎、破虏、顺安等地修筑堤堰 600 多里,修建水闸,引淀水灌溉良田。

从古至今,农业灌溉一直与水利有着密切的联系。在生产力相对落后的封建时期,治水在某种程度上便是水利营田。何承矩引淀水灌溉,是为了推广水稻种植。在工程竣工的当年,何承矩就让百姓种了水稻,但因为北方霜来得早,没能有好收成。于是何承矩向南方有丰富水稻种植经验的人请教。第二年,取来江东早稻种子,指导人们种植。到了八月稻苗就成熟了,

储水屯田宣告成功。同样是为了屯田的需要，仁宗明道二年(1033 年)，何承矩在顺安(今白洋淀)一带开方田，随田塍四面穿沟渠，纵一丈，深一丈，鳞次交错，引漕河、鲍河、徐河、鸡距泉分注沟中，地势高处则用水车汲引灌溉。随着宋朝在界河沿途设塞屯兵，围堤屯田工程不断扩大，又沿线开辟许多塘泊，利用这里地势低洼的特点，把一些河流与淀泊连接起来，引水灌溉，“广开水，以限戎马”，构成一条完整的“自边吴淀至泥姑海口，绵亘七州军，屈曲九百里，深可以舟行，浅不可徒涉”的“塘泊防线”，形成由河网、沟壕、水田、淀泊组成的强大防御战线。这就是举世闻名的中国“水长城”。

何承矩所开发的塘泊，大部分至今仍在发挥巨大的功效。当时这些塘泊为抵御辽国进攻起到了重要的作用，何承矩也因此成为北宋抗辽史上的英雄。因抗击契丹卓有战功，治水之后的十余年间，他一直辗转于沧州、雄州沿边州郡。1006 年，卒于齐州团练使任上，享年 61 岁。

30. 范仲淹

——治海治河治太湖

范仲淹（989—1052 年），字希文，苏州吴县人，北宋政治家、军事家和文学家。范仲淹自幼孤贫，发愤读书，终成一位精通经典、博学多才、擅长诗文的鸿儒。大中祥符八年（1015 年），范仲淹中进士，开始从政。文官至参知政事（副宰相），武官至枢密副使。他的文治武功突出体现在变革朝政、捍御边隅方面，但在兴修水利、治理水旱灾害方面，范仲淹也同样做出了不朽的业绩。

在泰州任盐官之时，他亲眼目睹了"风潮泛溢，淹没田产，毁坏亭灶"的受灾状况。这一带因唐时所建捍海堤年久失修，每年秋季海潮泛滥，往往阡陌洗荡，庐舍漂流，人畜丧亡，盐灶也多被冲毁，灾情十分严重。老百姓无以为生，只好携家外逃。范仲淹遂上书朝廷，极力主张修筑海堤。经过近四年的努力，天圣六年（1028 年）春，长达 150 里的捍海堤终于修成，消除了这一带的潮水灾害，从此，泻卤之地化为良田，2 000 多外逃户陆续还乡，农业、煮盐业等稳步发展，朝廷的盐利收入也明显增加。滨海人民为表达感激之情，将捍海堰命名为"范公堤"，灾区中心兴化县的人民往往很多以范为姓。

景祐元年（1034 年）九月，范仲淹被调到故乡，担任苏州知州（一州的行政长官）。恰逢苏州大水，过了秋天也仍未退去，农田被淹，秋收无望，数万农户面临饥饿死亡的威胁。范仲淹上书朝廷要求疏五河，导太湖之水入海。他亲临现场，督修这项工程，用"以工代赈"的方式，解决劳役费用。在他的

领导下，经过苏州百姓共同努力，终于疏浚了境内五河，开河筑渠，导水入海，不仅解除了水患，而且惠及百代子孙，对保障太湖周围的苏、常、湖、秀四州的农业生产起了重要作用。

范仲淹在以后的十多年里，宦海浮沉，驰骋疆场，出将入相，但他治理太湖之心却未曾去怀。他认真研究了江南圩田古制，总结古今治理太湖的经验，结合自己景祐年间的治水实践，提出了“修围、浚河、置闸，三者如鼎足，缺一不可”的治水主张，从而将治水与治田结合，解决了蓄水与泄水、挡潮与排涝的矛盾。其后历代圩区的水利建设，大都采用范仲淹的方法。

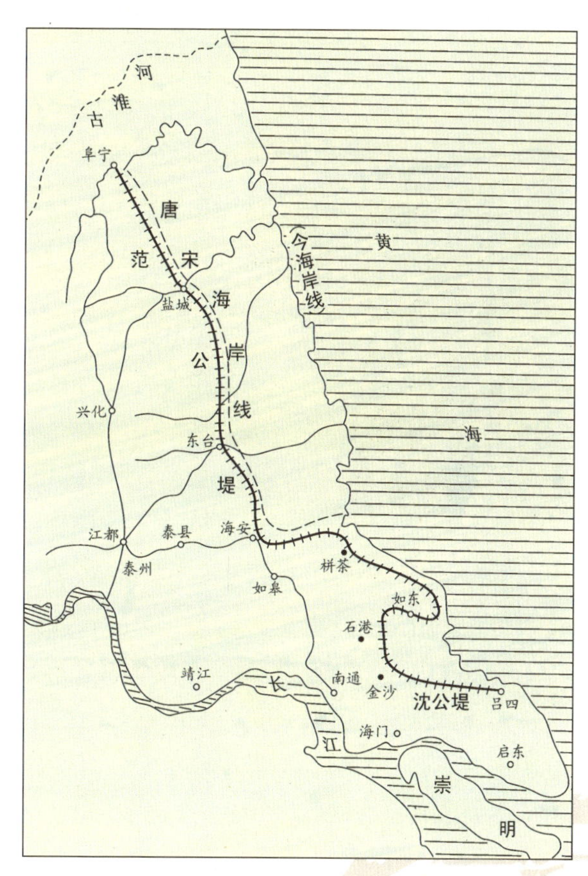

范仲淹自27岁考中进士，到63岁谢世，一共走过36年的仕途之路。从青年时代开始，范仲淹就立志做一个有益于天下的人。他每到一地，就兴修水利，培养人才，保土安民，政绩斐然，真正做到了为官一任，造福一方。在生活上，他治家严谨，十分俭朴。庆历六年（1046年），范仲淹降职邓州时，应友人滕子京之请，写了一篇气势非凡的《岳阳楼记》，其中“先天下之忧而忧，后天下之乐而乐”之语，堪称范仲淹忧国忧民之心的真实写照。

31. 高超

——三分长埽合龙门

高超，生卒年和籍贯不详，是北宋时期一名经验丰富的黄河河工，他曾巧妙堵塞黄河决口，由此在治黄历史上扬名。

北宋庆历年间，黄河在商胡（现河南省濮阳县东北一带）决了口，“决口广五百五十七步”，淹没大量良田，百姓伤亡损失不少。附近军民拼力堵塞却无济于事。眼见缺口愈来愈大，朝廷便委派三司度支副使郭申锡负责堵复。

黄河决口，需从决口河堤的两头填堵，填至中间，还剩一个小缺口时水流很急，非常难堵，这就是所谓的“合龙门”工程。当时合龙门的方法，是使用一种特殊的大型堵塞物，通常是由梢芬、薪柴、楗橛、竹石、茭索、竹索等物组合而成，大约有60步长，有如一个巨大的人工堤坝，它被人称为“埽”（音sào）。郭申锡到任后，命令河工将埽的两头扎上大缆绳，把它置入决口之中。谁知屡堵屡败，不是缆绳绷断，就是埽给急流冲走，或者就是克服不了水的浮力，埽不能落到河底。一次次的努力都失败了，决口愈来愈大。

高超每次都参加这种“合龙门”工程的现场施工，他在总结失败的原因后，向主持官员建议说，一个长达60步的埽，很难沉在水底，人力也不能压下去，所以水流不断，两端的绳缆也都被冲断了。建议把60步的埽分为三节，每节长20步，做三个埽，用绳连起来，先下第一节，待沉入水底，再压第二节、第三节，最后全沉入水底，龙门就能合上了。一些老河工固守旧法，当场反

驳高超说:“60 步埽从长度和重量上都截不断水流,换成 20 步的,不是更容易被水流冲走吗? 岂不白白浪费了人力物力?”作为总指挥的郭申锡也不肯听从一个普通技术人员的话,仍然按照旧法堵口,结果仍然屡屡失败。

高超对自己的方案非常自信,他向老水工们解释说:“第一埽,水信未断,然势必杀半;压第二埽,止用半力,水纵未断,不过小漏耳;第三节乃平地施工,足以尽人力处置。三节既定,即下两节自为浊泥所淤,不烦人功。”老水工们终于被他说服了。但郭申锡依然顽固不化,坚决不采纳高超的建议。当时,与郭申锡同在施工现场的大名府事兼河北安抚使贾昌朝认真听了高超的建议,认为有道理,便在力所能及的情况下,悄悄派了数千人去打捞郭申锡指挥堵口工程时被流水冲下的埽,以备后用。郭申锡屡屡失败,水患越来越严重。朝廷听说工程失败,认为郭申锡无能而固执,便将他降职。后来贾昌朝采用了高超的“三埽合龙门”的方法,很快就堵住了黄河决口。

作为黄河河工,高超由于长期与黄河打交道,摸熟了水性,掌握了水流运移规律,才能够提出这套非常有价值的治水方案。在他身上,充分体现出古代劳动人民的智慧。《宋史·河渠志》为他立传,北宋著名科学家沈括也在他的伟大著作《梦溪笔谈》中对这位巧堵黄河决口的河工作了较为详细的介绍。

32. 王安石

——立法兴水资天下

王安石(1021—1086年),字介甫,号半山,抚州临川(今江西抚州市)人。北宋杰出的思想家、政治家和文学家。王安石十分重视兴修水利,把它视作"为天下理财"的途径,并且积极从事"起低堰、决陂塘,为水陆之利"的活动。

王安石22岁考中进士,成绩名列前茅,"签书淮南判官"。几年后任期满,他主动放弃了进"辅相养才之地"的官职机会,而愿意到基层去,认认真真为人民干一些实事。1047年,王安石调往鄞(音yín)县(现宁波鄞州区)任知县。在鄞县的水利开发方面,王安石成绩最为突出、最有代表性的是修复了东钱湖。在此之前,由于年久失修,淤积严重,河床抬高,致使地处水乡的东钱湖连年旱灾。王安石发动群众,经过疏浚、除葑草、修堤堰,开垦荒田,确保了沿湖50万亩农田灌溉无忧。除此以外,王安石还在钱塘江南岸的部分地区修建了石塘,发明了符合科学原理的坡陀法,即用碎石砌筑,向海面砌成斜坡,其上再覆以斜立长石条。以后海塘修治均采用此法。海宴、灵岩、泰丘的百姓都很感谢并崇拜王安石,屡次为之修葺"紫石庙",以此来纪念他。

农田水利法是"王安石变法"中的一项重要内容,于熙宁二年颁布。条约奖励各地开垦荒田、修筑堤防圩岸,由受益人户按户等高下出资兴修水利。在王安石的倡导下,一时形成"四方争言农田水利"的热潮。农田水利法实施后取得了良好的效果,主要表现在垦田面积的扩大、土质的改善、治

水工具的改进、水利著作的出现、河流的治理等方面。“灌溉之利，农事大本”，农田水利法和其他新法的推行，使宋王朝增加了财政收入和粮食储备，从而加强了中央集权和国防力量。

在大兴水利工程的同时，王安石还积极促使北方多泥沙河流地区开展放淤或淤灌活动，形成了我国古代史上唯一的一次放淤高潮。11 世纪 50 年代，黄河上游水土流失已达到相当严重的程度，下游经常有决溢之患。王安石认识到，要从根本上解决诸河特别是黄河的泛滥和决口问题，必须设法使“水由地中行”。为相以后，他立即动员官吏总结民间的放淤经验，由朝廷专门设立相关的机构，并制定了奖励制度等措施，投入了大量资金。在王安石的亲自主持和督导下，“铁龙爪”和“浚川耙”等治水工具也应运而生。在治理北方的黄河、漳河等河的同时，还在几道河渠的沿岸淤灌成大批“淤田”，使贫瘠的土壤变成了良田。

王安石一生勤政为民。他是一位著名的改革家，而发展水利事业在其改革议程中占有重要地位。不仅如此，王安石还在很多地方具体组织实施了水利工程。在此过程中，王安石遇到了许多挫折和困难，但是他置个人安危于不顾，心中只有社稷和人民，一往无前。王安石在从事水利活动中的开阔视野、创新意识、实干精神，永远值得后人学习。

33. 司马光

——勤谏良策治黄河

司马光(1019—1086 年),陕州夏县(今属山西)涑水乡人,世称涑水先生。北宋政治家、文学家、史学家,历仕仁宗、英宗、神宗、哲宗四朝。他主持编纂了中国历史上第一部编年体通史《资治通鉴》,费时 19 年,为其付出了大量心血。司马光也曾对水利事业作出过贡献,宋神宗年间他曾参与治河工作,提出了许多重要意见。

熙宁元年(1068 年)六月,北流黄河“溢恩州乌栏堤,又决冀州枣强埽”,7 月再“溢瀛州乐寿埽”,沿岸良田被淹,民不聊生。当时的都水监丞李立之主张在恩、冀、深、瀛等地区,建筑 367 里长的堤坝来防水患,但另一都水监丞宋昌言则相反地认为,应该将河水的流向进行改变,以疏解四个省的水灾,并建议开两条河道引导河流向东去。

当年 11 月,司马光受命到四个遭受水灾的省区视察,并调查建筑堤坝和引走河道两种方法哪种更可取。熙宁二年正月,司马光回奏认为:应该如宋昌言说的那样,重新开辟两条河道,引水东去。东边水深,北边水浅,这样就可以堵住北侧道水流,引水向东,解决冀、深、瀛以西的水患。

熙宁二年三月,司马光再度上奏:治河应该因地制宜,如果硬是人为地改变地形,乱引水流,乱建堤坝,那么还是会决堤,那样不但不能成功治水,反而会使情况恶化。司马光发现向东引水的河道已经分成四股,而官员急于看到功效,急着堵住北侧的河道。“若河流一齐向东引,一旦遇到盛涨,水

势西合入北流”，东边的河道还会决堤，也可能在沧、德堤坝还没有建好的地方决溢横流。这样，虽然西边的水患消除了，东边却又发了大水，并不是好策略。根据这种情况，他认为东流方案要稳妥可靠，应当采取缓进办法，“当年东流分水二分，等三至五年东流分水八分以上，二股河冲刷已阔，沧、德堤埽已固”时，再将北流闭塞。

到了七月，二股河通，北流分水减少。当时担任判都水监的张巩力主即闭北流，司马光认为这样不可取。结合实地的调查，他上奏道：“张巩等人想堵塞二股河北流，臣认为恐怕不可。即使堵住了，东侧的河道尚且很浅，堤防又没有完全建好，必然导致决溢，这很可能将恩、冀、深、瀛的水患移到沧、德等州。不如再等几年，堤坝等工程都竣工，再堵塞北流。”然而，宋神宗并未采取司马光的建议，一意孤行，命张茂则、张巩等全力进堵，北流被堵塞了。北流堵塞后不久，黄河在许家港决堤。此后数年东流不断决溢，元丰五年(1082 年)又全归北流，引河东流再告失败。

在熙宁年间的治黄活动中，司马光重视实地调查，因此能够在充分掌握事实的基础上提出治河对策，这就使得他的治河对策具有科学性，同时又能因地制宜，不盲动，不急于求成。这些都为后人从事具体的水利实践提供了参考和借鉴。

34. 苏轼

——城市治水传佳话

苏轼(1037—1101年),字子瞻,号东坡居士,宋代眉州(今四川省眉山市)人。北宋著名文学家、书画家,为中国文学史上"唐宋八大家"之一。在地方上辗转为官多年,官至礼部尚书。他为官一地,造福一方,是兴修城市水利的实干家。在徐州、杭州、颍州、惠州、广州、琼州等多个城市都留下了苏轼治水的佳话。

1077年7月,黄河决口于澶州曹村,滔滔洪水,夺泗入淮,很快包围了徐州城,古城墙到处漏水。城中百姓惊恐万状,富商大贾争相逃离。当时刚上任三个月的知州苏轼,镇定自若,及时安定了民心。他组织全城百姓一面用柴草堵塞洞穴,一面加固城防。由于人力不足,他又趟水涉泥连夜赶到武卫营禁军驻地,请求士卒参与筑城。苏轼身先士卒,"过家不入",坚守城头,风餐露宿。经过七十多昼夜的连续奋战,筑成护城长堤,保全了徐州城。"自公去后五百载,水流无尽恩无穷",从这次抗洪到明代天启四年的540多年间,徐州虽不断发生水患,但因有长堤为屏,城市基本不受影响。

1089年,苏轼第二次赴杭州任职。任期内,多次主持杭州的水利建设。苏轼到西湖勘察地形,发现湖中蔓草横生,下塘遭旱。他向宋哲宗上了奏章,把西湖比作杭州的眉目,并从西湖之水有利于民饮、灌溉、航运、酿酒等方面,阐述了西湖不可废的五大理由。得到朝廷同意后,他立即发动百姓疏

浚西湖，民众得以灌田千顷，由是殷富。同时他又筑造堰闸，以为湖水蓄泄之用；取湖内葑草淤泥堆于湖中，筑起南北径 30 里的一条长堤，此即著名的“苏堤”。并在堤上造桥六座，制九亭，使内湖与外湖连接起来；堤的两旁，遍植杨柳芙蓉，湖中种满荷花菱角，不仅美化了风景，更方便了行旅和耕作。为了日后能经常及时地对西湖进行疏浚，苏轼还建立了“开湖司”，负责西湖的整治与疏浚。今日西湖被誉为“人间天堂”，与苏轼当年的整治是分不开的。

1091 年 8 月，苏轼出知颍州（今安徽阜阳）。这一年，正遇到颍州春涝、秋旱，民以榆皮、马齿苋度日，横尸布路，“盗贼”群起。苏轼除了采取调集粮食、赈济灾民、减轻劳役等应急的救灾措施外，特别注意和实施兴修水利、发展农业生产的长远措施。在颍州任上，苏轼阻止了劳民伤财、有害无益的八丈沟开挖工程，浚治了颍州的清河和西湖。

1094 年，苏轼被贬至惠州。在惠州时，他主持建造了东新桥、西新桥，解决了当地的交通问题。他还为缺水的广州设计了“自来水”，用竹槽将泉水引入城中，解决了居民吃水难的问题。三年后在琼州任上，他又率民掘井汲水以防病疫。

苏轼曾说：“陂湖河渠之类，久废复开，事关兴运。虽天道难知，而民心所欲，天必从之。”他之所以在水利上有如此大的作为，是因为用心体察民间疾苦，深知水利兴废和政事兴衰关系密切。在多年的治水实践中，他因地制宜，全盘筹划，不畏艰难，实干苦干，因此成效卓著，史家赞誉他“有德于民”。

35. 沈括

——匠心独运疏汴渠

沈括(1033—1097 年),字存中,北宋钱塘(今浙江杭州)人,中国古代著名科学家和政治家。在他所处的年代,国家“积贫积弱”,他积极参加王安石变法运动,同时以“求知不教一疑存”的态度从事科学研究,对研究水利尤有志趣。

早在任沭阳县主簿的时候,沈括就主持了治理沭水的工程。他合理规划,精心组织,先后带领当地百姓开通了 100 多条灌溉渠,修筑了 9 座堤坝。不仅解除了当地的水灾威胁,而且“得田七千顷”,改变了沭阳的面貌,那时他只有 24 岁。在任宁国县令的时候,他主持了在今安徽芜湖地区的规模宏大的万春圩修筑工程,开辟出能排能灌、旱涝保收的良田 1 270 顷,同时还写了《圩田五说》、《万春圩图书》等关于圩田方面的著作。

北宋时,江、淮、湖、浙地区的粮米都由汴渠运往都城,每年多达 800 万石,汴渠成为北宋王朝的“立国之本”。沈括受命疏浚汴渠。他进行实地勘察,亲自测量了汴渠下游从开封到泗州淮河沿岸共 840 多里河段的地势,以“分层筑堰法”测得开封和泗州之间地势高度相差十九丈四尺八寸六分。这种地形测量法,是把汴渠分成许多段,分层筑成台阶形的堤堰,引水灌注入内,然后逐级测量各段水面,累计各段高差,总和就是开封和泗州间“地势高下之实”,其单位竟然精确到了寸分。这在世界水利史上是一个创举。工程完成后,仅仅四五年时间,就取得引水淤田 17 000 多顷的显著成绩。

在王安石变法期间，沈括亲赴江浙一带考察水利建设情况，并主持兴修了常、润等州水利工程，兴筑温、台、明等州以东堤堰，增辟耕地万余顷。通过实地踏勘，他论述了雁荡诸峰是由流水侵蚀作用形成的，并进一步同黄土高原的地形成因相互印证，从而指出了两者地形成因上的共同规律，即都是被流水侵蚀所致，这比西方相同理论的提出要早得多。次年，沈括出任河北两路察访使，在定州兴修水利。在察访定州时，他还花了 20 多天时间，“遍履山川，尽得山川险易之详”。他根据在多年治水过程中对河流冲淤规律的认识，遍阅历史记载，提出和论证了华北大平原是由河流泥沙沉积而成的观点，正确解释了华北大平原的形成原因。

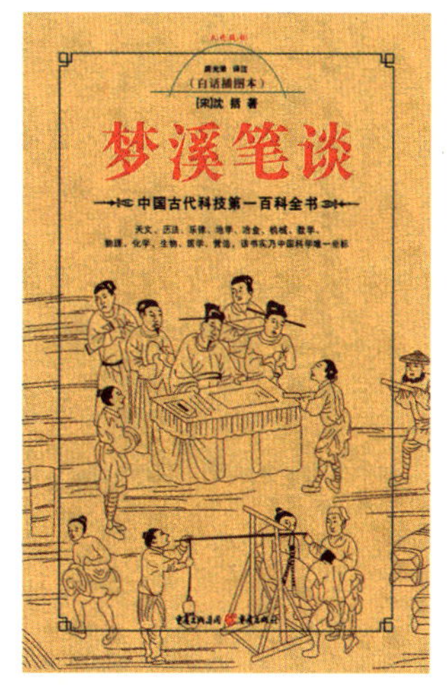

沈括晚年潜心著书，写出了重要科学著作——《梦溪笔谈》，该书被英国科学史家李约瑟赞誉为“中国科学史的里程碑”。《梦溪笔谈》中关于水利的部分，多是他自己在治水活动中的真知灼见以及对劳动人民实践经验的科学总结。沈括具有在当时极为可贵的科学求真精神，比如关于水旱等灾害，沈括认为“天地之变，寒暑风雨，水旱螟蝗，率皆有法”，“阳顺阴逆之理，皆有所从来，得之自然，非意之所配也”。为了纪念这位世界闻名的中国古代科学家，1979 年 7 月 1 日，中国科学院紫金山天文台将该台在 1964 年发现的一颗小行星（编号 2027）命名为“沈括”。

36. 宋用臣

——引洛入汴济民生

宋用臣，字正卿，开封（今河南开封）人，宋神宗年间曾任登州防御使、宣政使、瀛州刺史、蔡州观察使等职。《宋史》称其“为人有精思强力，神宗建东西府，筑京城，建尚书省，起太学，立原庙，导洛通汴，凡大工役，悉董其事”，为著名建筑家和水工专家。

汴河的水源来自黄河，挟带大量泥沙，因此经常发生水患。尽管北宋前期在汴河的治理上采取了诸多措施，耗费了大量的人力物力，但问题依然比较严重：一是水流湍急，不易架设桥梁，不宜于船只行驶；二是淤积严重，清淤工作加重了沿岸人民的负担；三是黄河的水量变化无常，时刻威胁着都城东京的安全。面对这些问题，“导洛通汴”的治理方案被提了出来。

最早提出“导洛通汴”方案的是仁宗皇祐年间的郭谘，他向宋廷进言：“请自巩西山七里店孤柏岭下凿七十里，导洛通汴，可以四时行运。”之后，仁宗曾“诏都水监杨佐同往计度”，后因朝中部分保守派的极力反对，此议被搁置。到了元丰元年（1078年），时为“西头供奉官”的张从惠又重新提出了此方案：“距广武山麓七里，退滩高阔，可凿为渠，引洛入汴，万世之利也。”

时为都水监丞的范子渊赞成此议，神宗遂先后派御史中丞梁焘和入内供奉官宋用臣前往勘察。宋用臣复勘后认为此议可行，并具体修改了范子渊的建议，将其中一些不符合实际情况的地方加以修正。宋用臣在奏疏中提出了具体而又切实可行的措施：“自任村沙谷口至汴口开河五十里，引伊洛水入汴河，每二十里置束水一，以刍楗为之，以节湍急之势取水深一丈，以通漕运。引古索河为源，注房家、黄家、孟家三陂及三十六陂，高仰处潴（音zhū）水为塘，以备洛水不足，则决以入河。又自汜水关北开河五百五十步，

属于黄河，上下置闸启闭，以通黄、汴二河船筏。即洛河旧口置水澾(音 tà)，通黄河，以泄伊、洛暴涨。古索河等暴涨，即以魏楼、荥泽、孔固三斗门泄之。计工九十万七千有余。仍乞修护黄河南堤埽，以防侵夺新河。"

宋用臣的建议得到了宋室的采纳，元丰二年(1079 年)三月庚寅，"以用臣都大提举导洛通汴"，同时派范子渊前往协助宋用臣的工作，并命令转运使李南公具体负责导洛通汴工程所需物资的运输工作。当年四月兴工，自任村沙口(沙谷口)至河阴瓦亭子之间共凿渠 51 里，渠两岸共筑堤总长 103 里，将洛水导入汴河。其他配套工程还有在黄河南堤修水柜(即水库)，设泄水设施和增加调节水势的设施等。该项工程进展顺利，前后只用了 45 天，于同年六月竣工。

引洛入汴之后，汴河泥沙大为减少，航道改善，漕运顺畅。据史载，元丰以前，汴口冬闭春启，一年不过通漕 200 多天。引洛入汴后，"四时行流不绝"。"遇冬有冻，即督沿河官吏伐冰通流。"(《宋史·河渠志》)其优越性显而易见。宋用臣也因倡议、总督这一工程而在中国水利史上留名。

37. 钱四娘

——赴水以殉木兰陂

钱四娘，福建长乐人，家世已无从考证，木兰陂的创建者。木兰陂位于福建省莆田市城南5公里的陂头村木兰山下，是我国现存最完整的古代水利工程之一，为全国重点文物保护单位。

由于木兰溪汇三百六十涧水，自仙游流经莆田，注入兴化湾，每受海水顶托，溪水经常泛滥，给两岸人民带来灾难。北宋治平元年(1064年)，钱四娘携资来到莆田，首次发起筑陂壮举。她招募泥工，在华亭镇西许村的将军岩前，“堰溪为陂”，筑砌大坝，并从鼓角山开渠向南而下。钱四娘的义举得到了民众的鼎力支持，人们不计报酬地抢着干活。数年之后，筑陂工程竣工。但因坝址地高溪狭，水势左急右缓，加上坝基地质不固，不能抵挡山洪，所以陂刚建成就被洪水冲垮。钱四娘眼见自己多年的心血付诸东流，悲痛难忍，赴水以殉，年方十八岁。群众感其懿德，把她就地营葬在龙坡山，为其建庙、塑像，命名“香山宫”，供后人景仰纪念。自宋敕封“协顺夫人”，到明嘉靖敕封“钱氏圣妃”，先后褒封达十余次。

不久，钱四娘的同乡林从世进士被钱四娘的事迹所感动，携带十万缗家资前往莆田木兰溪筑陂，继续钱四娘未竟之业，但也因选址不当而失败。

宋熙宁二年(1069年)，在宋神宗的支持下，王安石开始推行“农田水利法”，同时在朝为官的莆田人蔡京多次奏请朝廷兴修莆田水利。是年神宗谕准蔡京之奏，“诏莆阳协修水利”。侯官人(注：侯官为地名)李宏应诏来莆田

第三次筑陂，他在水利知识丰富的高僧冯智日的协助下，找到了前两次筑陂失败的原因：钱陂址地高溪窄，水量大，水势急，陂体无法抵挡山洪的冲击，因而决；林陂址在木兰溪下游离入海口近，海潮上涌时推力较大，因此陂体立足不稳。李宏和冯智日认真总结前两次筑陂的经验教训，细心勘察沿溪的地质和水情，最后选定木兰山下为新的陂址，这里溪面宽阔，洪水至此势已明显转缓，下游涌潮至此，力量也大为减弱，是较理想的筑陂所在。他们选用高三丈六尺、宽与厚近三尺的花岗石竖立溪中，作为陂墩砥柱。经过八年艰苦卓绝的奋斗，元丰六年(1083 年)，大陂终于建成。木兰陂包括枢纽工程、渠系工程和堤防工程三部分，枢纽工程为陂身，由溢流堰、进水闸、冲沙闸、导流堤等组成。溢流堰为堰匣滚水式，长 219 米，高 7.5 米，设陂门 32 个，有陂墩 29 座，旱闭涝启。配套工程有大小沟渠数百条，总长 400 多公里，其中南干渠长约 110 公里，北干渠长约 200 公里，沿线建有陂门、涵洞 300 多处。陂内的溪水分别经过陂首南北端的“回澜桥闸”和“万金陡门”注入总长约 120 公里的大小沟渠，灌溉莆田的南、北洋平原，最后由沿线 300 多处泄涝、陡门和涵洞汇入兴化湾。

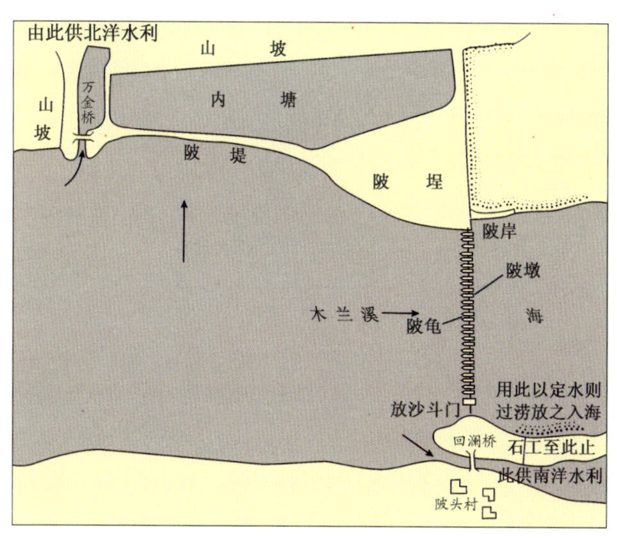

经三次修建才得以成功的木兰陂，书写了一段中国古代人民兴修水利百折不挠的英雄篇章。木兰陂的建成使得南、北洋平原顿成沃土，莆田的经济得以迅速发展。千百年来，木兰陂经受住了无数次风、洪、潮水的考验，岿然不动，屹立中流，成为一座世上罕见的引、蓄、灌、排、挡等兼具的综合性水利工程，造福千载，泽被万家。

38. 秦九韶

——数学大家研水利

秦九韶（1202—1261 年），字道古，普州安岳（今四川安岳）人，南宋著名数学家。他在数学上最大的贡献是写成了《数术九章》，系统总结和发展了高次方程数值解法和一次同余组解法，提出了相当完备的“正负开方术”和“大衍求一术”，达到了当时世界的最高水平。《数术九章》还涉及了许多水利问题，为后来的农业水利工作作出了巨大贡献。

作物生长需要适量雨水的灌溉，在古人看来雨量的大小是确定播种期的重要依据，因此确定雨水量的大小就十分有必要。古代地方政府往往在其治所设有“天池盆”，民间的老百姓也常用圆罂接雨，目的都是测量雨水。秦九韶的《数术九章》中有《天池测雨》和《圆罂测雨》两篇文章。《天池测雨》写道：“问今州郡都有天池盆，以测雨水。但知以盆中之水为得雨之数，不知器形不同，则受雨多少亦异，未可以所测，便为平地得寸之数，假令盆口径二尺八寸，底径一尺二寸，深一尺八寸，接雨水深九寸。欲求平地雨降几何？答曰：平地雨降三寸。”这里记载的实际上就是当时各个州县量雨水的“天池盆”，它的口径是二尺八寸，底径是一尺二寸，深约一尺八寸，该书据此给出了比较精确的雨量数值。已故著名数学史专家钱宝琮先生对“天池盆”曾有过高度的评价，指出：“天池盆是世界文化史上最早出现的雨量器。”同样，《圆罂测雨》写了民间使用的量雨器——一种小口、小肚、底更小的圆罐。除了量雨之外，古人还重视量雪。雪量的计算和雨量的计算原理相似，都是从面积和厚度来考虑，据此，秦九韶写出了《峻积验雪》与《竹器验雪》两篇文章。《竹器验雪》写的是用竹箩内雪深折算平地雪深。秦九韶举了箩口径为一尺六寸、深为一尺七寸、底径为一尺二寸的箩筐为例。《峻积验雪》是秦九韶自拟的算题，所谓“峻积”，是把一块木板斜依墙边，量板上的雪厚，由此折算平地雪深。虽然这些算法都不精确，甚至有错误之处，但他所提出的这些问题，却为后人研究中国古代水利工程建设和管理的量测技术提供了宝贵的历史资料。

《数术九章》中有关水利方面还包括以下一些文章:《漂田推积》，推算田地被水冲去一块的损失;《围田租亩》，计算某一围田可收的租米;《围田先计》则堪称是围草荡为田的设计蓝图，“此围长 58 千米(均折合成今制，下同)，宽 1.5 千米的草荡，夏天水深 0.8 米，冬天水深 0.3 米，拟规划为四周筑高 3 米土埂，埂上有闸门，围中有 1 条纵向大港和 24 条横向小港的围田”。

虽然秦九韶以数学家的身份闻名于世，但其数学专著中一些关于农业水利的测量、计算和思想也为后人研究水利历史、发展现代农业水利提供了重要依据，因此，秦九韶在中国水利史上也占有重要地位。

39. 都实

——追溯河源星宿海

都实，生卒年不详，金朝女真族蒲察氏后裔。元灭金后，仕元，历任统乌思藏路、招讨都元帅等职，曾奉命率人考察黄河源头。都实等人沿黄河追溯，一直抵达黄河源星宿海地区。

星宿海，位于黄河源头地区，东与扎陵湖相邻，西与黄河源流玛曲相接。星宿海地区海拔 4 000 多米，藏语称为“错岔”，意思是“花海子”；蒙语称“火敦诺尔”，“火敦”为星星，“诺尔”为海子或湖。它的地形是一个狭长的盆地，东西长 30 多公里，南北宽 10 多公里。黄河之水行进至此，因地势平缓，河面骤然展宽，流速也变缓。四处流淌的河水，使这里形成大片沼泽和星罗棋布的湖泊。登高远眺，这些湖泊在阳光的照耀下，熠熠发光，宛如夜空中闪烁的星星，星宿海之名由此而来。

元代统一后，全国大建驿站，开通驿道，使交通前所未有的发达。同时，元朝政府也加强了对边疆的管理。这一系列措施，为探索河源创造了有利条件。元世祖至元十七年(1280 年)，忽必烈政府决定探寻黄河河源，在源头建造一座商业城市，开通黄河漕运。

忽必烈授命都实以招讨使身份，佩金虎符，带领人马到黄河源进行勘察。都实通晓多种民族语言，曾多次到过吐蕃，寻求河源所在，且开辟航道，制造船只，筹建城镇。都实此次考察，自河州(今甘肃临夏)宁河驿出发，穿过甘肃南部崇山峻岭，经积石山东，溯河而上，历时四个月后才到达黄河上游地区，几乎走遍了大半个中国。《元史》卷 63《地理志》记载：“洲之东六十里，有宁河驿。驿之南六十里，有山曰杀马关，林麓穹隘，举足浸高，行一日至巅。西去愈高，四阅月，始抵河源。”都实在取得了有关河源的第一手资料

后，同年冬回到大都（今北京），“图其城传位置以闻”，向朝廷详细汇报了考察情况。都实的主要贡献有：指出黄河源的地理位置在土蕃朵甘思西边；描述了黄河源区的水文情况，第一次记录了星宿海及其得名的实状，指出今扎陵湖与鄂陵湖当时共用一名，虽分实连；绘制了黄河源图。这是中国历史上官方首次派人实地考察河源，并取得了很大的成绩，首次发现了黄河正源。正如时人梁寅所说：“今朝之究河源，盖得之目睹，非传闻也。”（梁寅《梁石门集》卷1）

但是都实的原报告藏在内府，世人无法得知其详细内容。1315年，翰林学士潘昂霄从随同参与了考察活动的都实胞弟阔阔出那里得到河源报告的副本，并据此撰为《河源记》，又称《河源志》。根据此书记载，都实考察“河源在朵甘思西鄙，有泉百余泓，或泉或潦，水沮洳（音rù）散涣方可七八十里，且泥淖溺，不胜人迹，逼观弗克。旁履高山下瞰，灿若列星，以故名火敦脑儿。火敦，译言星宿也”。由此可见，都实是将河源定位在星宿海一带，对历代一直没有弄清楚的河源，有了接近真实的认识，为后人继续探察河源奠定了基础。

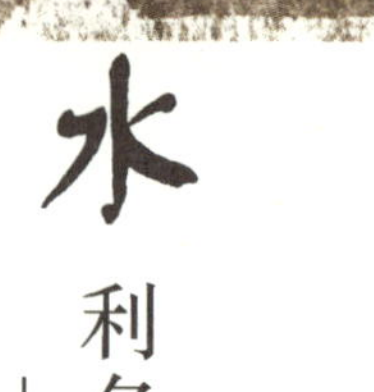

40. 赛典赤·瞻思丁

——治理滇池泽昆明

赛典赤·瞻思丁(1211—1279年),一名乌马儿,回族人,元代著名的政治家。晚年奉命行省云南诸路,创建了云南行省,治理了滇池,为国家统一、民族团结、社会进步作出了卓越的贡献。

赛典赤到云南首先是改革原军事统治的政权建制,设置路、府、州、县,并相应设总管、知府、知州、知县等行政官职。在少数民族地区注意委任当地民族官员,安抚山官土司,化解民族矛盾。不到三年,已是政绩显著,法令畅通。又报朝廷批准,将云南行省治所由大理迁到鄯阐(今昆明)。自此,昆明开始成为云南政治、经济、文化的中心。

云南行省治所迁到昆明后,为了发展农业生产,赛典赤认为应“为陂池,以备水旱”,并决定把开发滇池水利放到工作首位。当时,滇池水域比现在宽阔得多,雨季水位上涨,昆明城中常常水患成灾。赛典赤和久居云南、熟悉情况的大理等处巡行劝农使(官名,掌巡查荒田、劝农垦种等事务)张立道一起,对盘龙江源头到滇池周围进行了实地考察,制定了治理滇池水系的工程规划。

工程分两部分进行。一部分是对海口河的疏浚,这是当时水利建设中重要的一项。历史上就有“筹水利莫急于滇,而筹滇之水莫急于滇之海口”之说。赛典赤率领2 000多名民夫,疏浚长20余里“正途壅

底”的河道，挖开河中的鸡心、螺壳等数处险滩，使滇池水泄量大增，湖面下降，涸出良田10 000多顷。另一部分是疏浚金马山以北一段的盘龙江。这段江面由于多年没有加以疏浚，泥沙淤积过多，致使许多地段河流改道，或失去固定的河床，分支乱流。两岸河堤几乎全部倒塌，每逢大雨，洪水直扑鄯阐城头，城郊顷刻间便成泽国。赛典赤在上段疏浚盘龙江，加固堤岸，使河床固定下来，然后再修筑引渠，把邵甸坝东北诸山下的各道泉水引入江中。这样既可避免雨季洪水灾害、冬季河水枯旱的现象，又可以把附近的沼泽地区变成良田。接着又在城东八九里的金马山下修筑了一座大型的分水坝，把盘龙江水分为东西两支，以减少水势，免除洪水对鄯阐城及其东南地区的威胁，同时利用水分则势弱的自然规律，在坝南两河间分段修堰筑坝。这样，既保证了鄯阐在洪水季节的安全泄水，又可以在冬季关坝蓄水，提高水位，使两河间的较高地区也能得到灌溉。赛典赤还在城南八里左右的地方修筑燕尾闸，以分减西北来的金汁等河流的水势；再在河岸两边修起了长达数里的坚固石堤。据不完全统计，赛典赤在修治滇池工程中，共建闸10座、涵洞360个，开挖地下暗沟72条、河渠12条。

治理工程历时三年，于至元十五年(1278年)全部完成，基本控制住了水患，滇池水利面貌焕然一新，昆明等城镇也随之发展和繁荣起来。

赛典赤于滇池水利工程完工的次年去世，元世祖忽必烈追念他的贡献，封他为咸阳王，谥“忠惠”。各族人民对他称颂不已，称他是一位“心滇之心，事滇之事”的好官员，并树立碑碣，永久纪念。他的陵墓在今昆明市北郊松花坝马家湾，被云南省人民政府列为文物保护单位，每年开斋节时都会有穆斯林到墓地为他诵经祈祷。

41. 郭守敬

——水利之学世师法

郭守敬(1231—1316 年),字若思,顺德路邢台(今河北邢台)人,著名的水利专家和天文学家。郭守敬 21 岁时就设计了家乡邢台的一项河道疏浚工程,被誉为"习知水利,巧思绝人"。1262 年,担任中书左丞的张文谦把郭守敬推荐给元廷,郭守敬向忽必烈面陈六项水利建议,包括修复燕京附近运河,开发磁州农田水利及豫北沁河、丹河水利等,忽必烈对他十分赏识,当即任命他为"提举诸路河渠",次年,加授"副河渠使"。

郭守敬在西夏治水时,针对唐徕、汉延等渠的改造和恢复工程"役不逾时",提出了"因旧谋新"的治理方针。他还修复黄河沿岸五州 10 条干渠,68 条支渠,灌田 9 万顷,重建了银川平原上的灌溉网络,为当时的农田水利与水路交通作出了卓越的贡献,深受百姓爱戴,"夏人共为立生祠于渠上"以表敬意。在西夏治水期间郭守敬还"挽舟溯流",探寻黄河源头,这是一次以科学考察为目的的探寻河源的伟大壮举。

1271 年,郭守敬升任都水监,掌管全国的水利工作。1276 年,元大都(今北京)基本建成。在建设的过程中,郭守敬先后解决了都城供水、水运交通和灌溉水源等诸多难题,建成了一套多功能的完整河湖水道系统。他还兴建了白浮引水工程,扩建了瓮山泊,开辟了新水源,形成了大都城"两入、两出、两蓄"的特有水系格局和"前朝、后市"相互呼应的风格。他不仅使街市建筑与水风水貌完美结合,独具特色,还利用发达的水上交通,促进了政

治、经济、文化上的交流，保障了元大都在全国军事和政治上的地位。

元大都的一系列规划中，其中工程规模最大、收效最突出的，要数开凿通惠河之举。开凿通惠河是一项十分复杂而艰巨的工程，它由引水渠道、调蓄水库和航道三部分组成。工程中的技术难点繁多，但是，在当时技术条件下很难解决的问题，都被郭守敬以惊人的智慧、高超的数理知识和精确的测量、施工方法成功地解决了。郭守敬在航道上设闸 24 座，实现“节水行舟”，克服了水源紧缺的困难。他所规划的白浮瓮山河的选线，竟然与我国 20 世纪 60 年代修建的京密引水渠的测量选线走向一致。在通惠河的设计施工中，坝闸的调节避免了因落差较大、水流湍急，引水快速东泄现象的发生，确保了漕运船只的畅通。如今，长江三峡的通航及巴拿马运河的航运都采用了这一原理。在世界水利发展史上，郭守敬是利用上下坝闸解决水流落差问题的第一人。

郭守敬一生从事科学事业，以毕生精力创造了十多个当时的“世界第一”。据《元朝名臣事略》卷九中《郭守敬传》中所记：“公以纯德实学为世师法，然不可得者有三：一曰水利之学，二曰历数之学，三曰仪象制度之学。”国际天文学联合会将月球背面的一座环行山和编号为 2012 号的小行星以郭守敬的名字命名，以此表达全世界人民对他的崇高敬意。

42. 贾鲁

——白茅堵口挽河流

贾鲁(1297—1353 年),字友恒,元代河东高平县(今山西省高平)人,多次主持治理黄河水患,其中,他主持的"白茅堵口"是我国古代历史上规模最大的黄河堵口活动。

元顺帝至正四年(1344 年)五月,黄河在山东白茅堤决口,水灾遍及豫东、鲁西南、冀南等地,洪水泛滥长达七年之久。不仅危及人民生命财产,而且冲毁了会通河,切断了南粮北运的运河航道。在这种情况下,元顺帝特令工部尚书贾鲁任水监,沿黄河巡视水情,考察地理形势。

贾鲁为了找到水患发生的原因,曾沿着黄河水道不辞劳苦往返数千里以勘察地形、水势。凭借着长期的实地考察和多年的治河经验,他逐渐积累了一套"治黄方略"。他主张堵塞白茅堤决口,挽河南流,使之回到泗水、淮水旧道,东入黄海。当时,工部尚书成遵与大司农秃鲁也曾实地考察,却得出了与贾鲁相反的结论,两派争论非常激烈。成遵所代表的是当时安于消极应付、害怕承担治河责任的大多数官员的态度;而贾鲁作为一个具有真知灼见的治河专家,则敢于负责,勇于献身。在丞相脱脱的大力支持下,工程正式开始。在整个施工过程中,贾鲁采取了"疏、浚、塞并举"的方针和先疏旧河、堵小口、浚故道、固堤防,后堵大口的步骤。元顺帝于至正十一年(1351 年),命贾鲁为总治河防使,率领汴梁、大名等路民夫 15 万人,庐州等地戍兵 2 万人,前往工地。工程于当年 4 月先治理白茅堤决口以下的

黄河旧道。这是因为治理旧道的工程量很大——要浚深展宽河床，要截弯取直，要修建堤防等，只有在堵口之前，在河床干涸的情况下，最便于施工。8—9月，贾鲁率众开挖渠道，引导泛滥的洪水回归黄河故道；9—11月，贾鲁全力以赴堵塞白茅决口。这样，贾鲁仅用了八个月，先后疏浚黄河故道280余里，修筑堤防700多里，堵塞治理大小决口107处。治理后的河道流路，经今封丘、曹县、商丘、砀山等县市境内，徐州以下，循泗水、淮水河道，注入黄海。

贾鲁善于创新，当时白茅堤决口“南北广四百步，中流深三丈”，波涛汹涌，极难堵塞。他采用一系列的创造性措施，加以解决。第一步是在决口上方穿一直河，以代替原来比较弯曲、其主流直冲决口的那段河道。第二步是在决口上方的直河上，修建了刺水堤和石船斜堤，尽量把河水导向对面。这两步措施大大降低了堵口难度，最后才得以顺利地完成堵口，实现了挽河南流的任务。这些新技术，在堵口工程上，具有很大的意义。

人们感谢贾鲁的恩德，为了永远纪念这位治黄专家，便把重新疏通的运河改称“贾鲁河”。据考证，贾鲁河的前身就是楚汉相争时的“鸿沟”。河以人名，名以河传，贾鲁在中国水利史上的影响由此可见。但是，由于他施工过急，“不恤民力”，强制性地让劳工日夜劳作，也受到了人们的非议。后世有诗评价道：“贾鲁治黄河，恩多怨亦多。百年千载后，恩在怨消磨。”

43. 白英

——巧治运河通南北

白英(1363—1419年),字节之,山西洪洞县人,明初迁居山东汶上县白家店村,明代民间水利专家。当时政府在运河沿线,每隔一定的距离,都要派驻一定数量的民夫负责养护水利设施,引导过往船只顺利通行。每十名民夫设置一名负责人,称作“老人”。白英就是汶上县的“老人”之一。

在古代,大运河是全国南北的交通干道。但京杭大运河在山东境内的临清到济宁河段,“岸狭水浅,不任重载”。明成祖迁都北京以后,经济上依赖江南,加之营建京都又需南方木材,因此保证大运河漕运畅通,就成为明王朝亟待解决的问题。明永乐九年(1411年),工部尚书宋礼等人奉命征发山东、徐州、应天、镇江等地30万民工疏通运河,重点在山东丘陵地带的会通河段(从临清到须城安山)。但是会通河缺乏水源,宋礼等治河官员对提高会通河航运能力这一关键问题毫无解决办法。后来,采纳了白英的建议,才使会通河得到了充足的水源,大大提高了运河的航运能力。

白英认真总结了会通河水源不足的原因,认为主要是以前选择的分水点不合理。他经过仔细勘察分析,建议把分水点由马场湖移到会通河道最高点的南旺镇。他又全面分析了会通河附近的河流、水源分布情况,看到在河的东侧、南旺镇南面有沂水、泗水、洸(音 guāng)水,水源比较丰富;南旺镇北面只有大汶河,分成两个支流,一支向北流经东平县境入海,一支向南流入洸水。为了解决这个问题,白英建议改建元朝的堽(音 gāng)城坝,阻止

汶水南支流入洸水；同时在东平县的戴村修筑拦水坝，阻止汶水北支入海，把大汶河的全部水量和它沿线的泉水溪流引到南旺注入会通河。他还在汶运交汇的丁字口筑砌了一道近百丈长的石坝，坝下迎着汶水入运的急流，砌一个鱼嘴形的石跋，使汶水四六分成，六分向北流到临清，接通卫河；四分向南流到济宁，会同沂、泗、洸三水入黄河。

因会通河的落差较大，为了便于船舶航行，除重修元朝在河道上建成的31座闸坝外，再建7座新闸坝，使闸坝的配置更为完善，进一步改善了通航条件。由于会通河上坝闸林立，明人又称这段运道为“闸漕”。为了保证在干旱季节仍有充足的水量接济运河，白英还建议，利用天然地形，扩大会通河沿岸的南旺、安山、昭阳、马场等湖泊为“水柜”，并且设置斗门，以便蓄滞和调节水量。同时，开挖河渠，把附近州县的几百处泉水引入沿河的各“水柜”。

白英关于改造会通河的计划，设计巧妙合理，切实可行，很受尚书宋礼的赞赏。当时，白英虽已年逾半百，但是他还亲自选址，划河线，参加勘测设计，指导施工。工程终于在永乐十三年(1415年)全面完成，此后漕运畅通，每年南粮北运达到四五百万石之多，迎来了京杭大运河有史以来的鼎盛时期。

白英去世后，明永乐皇帝追封这位民间水利专家为“功漕神”，清乾隆皇帝勋封他为“永济神”，光绪皇帝勋封他为“白大王”。后人在分水龙王庙里设立祠堂纪念他，称为“白老人祠”。

44. 宋礼

——疏浚会通兴漕运

宋礼(1359—1422 年),字大本,永宁(今河南洛宁)人。以明经出身进入国子监学习,由于他才学出众,先后被选拔为山西、陕西按察佥事。朱棣即位,擢礼部侍郎。永乐二年(1404 年)宋礼拜工部尚书后,开始关注漕运事务。

明朝迁都燕京(今北京市)后,粮源主要是在江南,大运河漕运在南粮北运上占有关键位置。当时京杭运河中济宁至安山段称为济州河,安山到临清河段称为会通河。明代把两段运河统称为会通河。会通河是京杭大运河全线地势最高的河段,没有大江大河的水可以利用,水源不足,加之当初施工简易,常常是河底出露,浅得无法行船。南方的大批漕运物资,或由海运至天津市,或由淮河转沙河,过黄河入卫河,再转运燕京,耗费很大。明成祖朱棣也认识到海运非长久之计,便决定委派工部尚书宋礼负责疏浚会通河。

宋礼经过详细调查,意识到要解决水源不足的问题,必须有效地利用汶河比较充裕的水量。永乐九年(1411 年)二月,宋礼和刑部侍郎金纯、都督周长发率军卒、民夫 30 万人,共用了 100 天,于当年六月完成工程。由济宁北面的开河闸至临清疏浚 385 里,深 1 丈 3 尺,宽 3 丈 2 尺;自开河闸北的袁家口改道行旧河之东,长 50 里至寿张沙湾接旧道。济宁至临清建 15 闸,设水则,制定开闸制度。

他重修汶河堽(音 gāng)城坝,使大部分水流入会通河,引水至济宁。

刚开成的会通河,由于河床宽深,又值汶河多水,堽城坝遏水入运地点不合理的问题一时未显露出来。但进入旱季,水量不足的问题就摆在了宋礼面前。宋礼采用汶上老人(河工夫头)白英的建议,在堽城坝西 60 里的东平戴村又新建长 5 里 13 步的土质戴村坝,横断汶河,使水入南岸的沙河(今名小汶河),西南流至南旺入会通河。在南旺设闸分流,南旺比济宁高约三丈,在南旺分水是合理的。戴村坝和堽城坝配合应用,较好地解决了会通河的水源问题,大大地改善了会通河的漕运能力,有统计数据说是“十倍于元代”。自南旺分水点南到徐州入黄河,北到临清入南运河,沿途接纳泉流和一些小河,使会通河全线用水有所保证。南旺分水口周围分布着马踏、蜀山、南旺诸湖,与引水渠、运河都有斗门相通,用以调节水量,称为“水柜”。当引水渠来水量过大时,首先可经右岸中途的何家坝溢流入运河下游;夏秋水大或冬修时,将汶河来水蓄入湖中,春季和夏初由湖中放水济运。南旺分水的设施和都江堰的鱼嘴相似,在小汶河与运河的交汇处,设一 300 米长的石坝,石坝的中间是梭形的鱼嘴石。1504 年,南旺分水完全取代了济宁的天井闸分水,而后成功运行了近 500 年。宋礼促成了京杭运河航运史上的重大转变。后人追念他的功绩,在南旺立祠纪念。

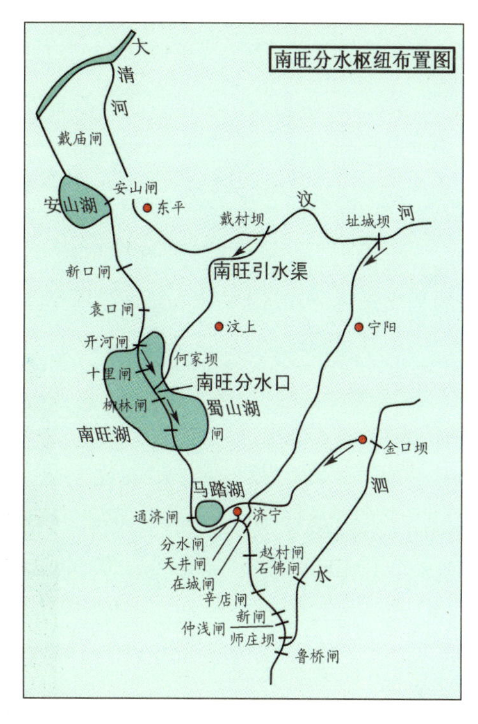

南旺分水枢纽布置图

宋礼在明初运粮困难重重的局面下,为安定社会秩序、发展经济作出了重大贡献,明代著名文士李东阳赞颂他“尚书宋公富经略”。宋礼在水利事业上的贡献,永远值得后人景仰。

45. 陈瑄

——兴水利德缵禹功

陈瑄(音xuān)(1365—1433年),字彦纯,南直隶合肥(今属安徽)人。明朝杰出的水利工程专家、水利管理专家。

永乐二年,陈瑄负责督运,在淮安建筑了义、礼、智、信四坝,连同原来的仁字坝,合称淮安五坝。五坝类似于现代船闸的功能,解决了运、淮之间船只来往的问题。当时,江南运船行抵淮安,须陆运过坝,逾淮达清河,耗时耗力。于是他采纳当地居民的建议,从淮安城西的管家湖开渠20里为清江浦,导湖水入淮,沿湖筑了十里长堤,并把堤顶作为纤道,引漕船直达于河,费用因此大大节省。又建移风、清口、福兴、新庄四闸,以便宣泄。此外,陈瑄还在淮安建造了清江正闸,亦称清江大闸,创建了漕船总厂,带动了造船等产业的发展。可以这样说,没有陈瑄,就没有清江浦。所以后人认为陈瑄是淮安这座城市的开拓者和奠基人。

此后,陈瑄又疏浚了徐州至济宁之河道,筑沛县刁阳湖、济水、南旺湖长堤,开泰州白塔河通大江,筑高邮湖堤,于堤内凿渠40里,对新开湖东堤“樟木以桩,固以砖石,决而复修之者,不知其几”,进行了较大规模的增筑。自淮安至临清间建闸47座,在淮上建常盈仓40区,于淮上及徐州、临清、通州(今北京通县)皆置仓,以便转输。为防止漕舟胶浅,自淮安至通州置舍568

所，置卒导舟，并沿河凿井植树以便行人。京杭运河的全线贯通，极大地改变了明王朝的运输状况，为明王朝迁都后在北方得以稳固提供了重要的物质保障，也为运河沿线人民群众的生产、生活带来了许多好处。

为了海运方便，陈瑄曾率兵夫10万人，修复了被海潮破坏的从今海门到盐城（均属江苏）“凡百三十里”的海堤，并新筑了18 000余丈。不久他又在嘉定江滨堆筑了方圆百丈、高30余丈的土山，以便于漕船停泊。为此，朱棣曾赐名“宝山”，并“为文记之”。

陈瑄不仅是杰出的水利工程专家，而且还是出色的水利管理专家。京杭运河全线通航以后，身为漕运总管的陈瑄，在抓“治”的同时，还强化了“管”的工作。他建立了专职的管理队伍，制定了严密的传汛制度、用水和航运管理制度等。此外，陈瑄在四川任职时，还参加过都江堰的修建。

陈瑄治水，先后30余年，《明史·河渠志》称：“凡所规划，精密宏远，身理漕河者三十年，举无遗策。”宣德八年，他以69岁的高龄和带病的身体，坚持在淮安一带勘察水利，最后死于任上，为治水贡献了毕生精力。明宣宗听到讣闻后，十分哀恸，停止朝事一日，为他举行国葬，并追封他为平江侯，赐太保，谥“恭襄”。百姓亦为其立祠纪念。陈瑄后辈子孙多人承继祖业，治河道、督漕运，前后历时100余年。明武宗念陈瑄世代治水功业，又御赐匾额“德缵（音zuǎn，继承之意）禹功”，称赞他继承了大禹治水的功德。

46. 项忠

——勉力倡修广惠渠

项忠(1421—1502年),字荩(音 jìn)臣,号乔松,嘉兴(今属浙江)人。明英宗正统七年(1442年)进士,授刑部主事,进员外郎。多任武职,官至兵部尚书。他为民兴利,尤其在水利上贡献很大。

项忠曾担任右副都御史巡抚陕西。当时长安城内开有三条渠道:龙首渠、永安渠和清明渠,与运粮的漕渠一起,在城内互相连接,构成城内运输、供水两用的水道网。但宋、元至明代,水渠的管理逐渐废弛。城内水源不足,挖井所得往往又是苦涩不堪的咸水,给市民的生活带来很大困难。项忠面对城内缺水的紧急情况,进行实地勘察后,决定重开龙首渠。项忠亲自参与了渠线的规划,带领士卒、民夫连日苦干,很快就将水引入了长安城中。接着,他又重开了皂河。这两条河流在城的西南处汇合,成为通济渠。从此,长安城的用水问题得到了很大的改善。项忠还非常重视用水管理,在开工第一年八月就制定了严格的管理制度——《水规》,并让人刻在《新开通济渠记》石碑背面,让大家共同遵守。这块石碑现存放在西安碑林博物馆中。

项忠在解决了长安城内的用水困难后,又将注意力转移到水利灌溉问题上。《历代引泾碑文集》中写道:“郑国渠成于秦始皇十年(前236年),白渠起于汉太始二年(前95年),宋代称丰利渠,元代称王御史渠,明代又称广惠渠……”其中说到的郑国渠和白渠,历史悠久,长安附近的三原、泾阳、醴泉、高陵和临潼五个县的农业灌溉都依赖于这两条水渠。但是唐朝中期,宦官、地主和富商在渠上大量设置以水力推动的碾和水磨等加工机具,灌溉效益急剧下降,于是“元后至于今,河底低深,渠道高仰,水不通流,废弛湮塞,几百年矣”。项忠看到这种情形,深为感慨,下决心要让这一古老灌区恢复往

日的功用。

成化元年(1465 年),项忠率众将引泾渠口向上游延伸一里多,以便引水。新渠必须穿山而行,为此要在大龙山和小龙山下开凿隧洞。这一带的石质十分坚硬,于是采用了先火烧再水淬的办法使岩石开裂,便于开挖。工程进行了仅仅两年,新渠尚未做成,因边防紧急,项忠被调离停工。成化十二年(1476 年)巡抚余子俊继续施工。为加快隧洞开挖进度,当年曾在隧洞施工线上开竖井 5 个,以期增加同时施工的工作面。但余子俊也没能完成这一工程。成化十七年(1481 年),巡抚阮勤接替主持施工,更引泉水汇入渠道,又克服了种种困难,终于在成化十八年完成了广惠渠渠口上移工程。今天我们还能在泾阳县张家山渠首清楚地看到这一遗迹。

成化十三年(1477 年),项忠因反对宦官汪直被革去了职务。最后的 20 余年在家赋闲,与里人梅江、戴佑、姜谅等创立檇(音 zuì)李耆英会,有《唱和诗》一集。项忠于弘治十五年(1502 年)去世,后被授予太子太保衔,谥号“襄毅”。项忠一生,多次兴修水利,尤其是倡修广惠渠,促进了中国水利事业的发展。

47. 周 用

——沟洫治黄创新论

周用(1476—1548 年),字行之,江苏吴江人,明弘治年间进士,曾任吏部尚书,嘉靖二十二年(1543 年)总理河道,负责治理黄河。随着经验的积累,他提出了一种让人耳目一新的治黄方案,即通过发展流域水土保持达到治理黄河的目的。

周用在《理河事宜疏》中指出:治河、垦田,事实相因,水不治则田不可治,田治则水当益治,事相表里。如此做法能"一举而兴天下之大利,平天下之大患"。这是治黄史上最早出现的"沟洫(音 xù,泛指田间水沟)治黄"论,也是最早把水土保持和治理黄河联系起来的主张。其实"沟洫"治水的思想起源很早,据《论语・泰伯》记载,禹治水时就曾"尽力乎沟洫"。然而禹治沟洫,主要是疏导田间的水道,使雨水顺利排入江河,即所谓"浚畎(音 quǎn,田间水沟)浍(音 kuài,田间排水道)距川",还不具有拦蓄洪水之意。周用则深刻全面地阐述了"沟洫论",从理论上开辟了全流域治河的新时代。

在周用看来,治河和发展农田水利都是关系国计民生的大事,二者之间有着内在的联系,因此,治理黄河要和流域内的农田水利建设统一规划。他回顾古代治黄史,认为禹治水以后黄河安定了上千年,原因主要是禹在治水的同时"尽力乎沟洫"。纵横交错的沟洫拦截了大部分降雨,流入河道的水量减少,黄河自然安澜。而自秦代以后,沟洫废坏,黄河乃泛滥不止。

周用总结道:"黄河所以有徙决之变者无他,特以水入于海之时,霖潦无所容之也……沟洫之为用,说者一言以蔽之,则曰备旱涝而已。其用于备旱涝,一言以举之,则曰容水而已。故自沟洫至于海,其为容水一也。夫天下之水,莫大于河。天下有沟洫,天下皆容水之地,黄河何所不容?天下皆修

沟洫，天下皆治水之人，黄河何所不治？水无不治，则荒田何所不垦？一举而兴天下之大利，平天下之大患，以是为政，又何所不可？”（周用《理河事宜疏》，载《明经世文编》卷146）。他认为黄河上、中、下游均要修治沟洫，沟洫可以蓄水备旱涝，处处有沟洫，处处都能容水，黄河不会泛滥；人人修沟洫，则人人都在治水，黄河不会不治；水治则田治。把治河、治田、备旱涝结合为一，方法是分散水沙，由群众治理。“沟洫论”试图把改造荒地与消除洪水相结合，把洪水分散于纵横交错的沟渠之中，既兴利，又除害。

这在治河思想上是一种新的见解，标志着治理黄河已由线治拓展到面治，由河道本身的治理发展至全流域治理。至此，我国对黄河的治理方式已发展至堵、疏、洫三字治河。这无疑是治河理论的又一次大飞跃，反映出对黄河的认识较过去更全面、更深刻。但是，中国封建社会的局限性，使得整个治黄事业也只能在“防洪保运”的范围内被动应付。即使在今天，也有许多根本问题尚无法解决，比如沟洫的严重淤积问题、分水后黄河干流河槽的淤积问题等。尽管如此，周用的理论依然给予后世治河者很多启发。

48. 刘天和

——"植柳六法"护黄河

刘天和(1479—1546 年),明代湖广麻城(今湖北麻城)人,字养和,别号松石,谥"庄襄"。作为明代功绩卓著的治河专家,刘天和在水利施工技术、管理上都有不少发明创造,并将前人的有用成果和自己的实践经验上升为理性的东西,写成《问水集》一书。在其众多成就中最为突出的是"植柳六法"。

嘉靖初年,黄河灾患连绵,泥沙填淤,运河壅塞,堤岸坍塌。总理河道都御史章拯、盛应期等 5 人先后治理黄河,均不见成效。刘天和总理河道后,发现黄河江苏段树草丰茂,河南段却一片荒凉,而黄河泛滥恰在河南段上,于是提出"植柳六法"并推广应用。"植柳六法"中的"六法"分别是:卧柳、低柳、编柳、深柳、漫柳、高柳。卧柳就是春初筑堤时在大堤内外自堤底部至顶部用一层土,"横铺枝深二尺,土面留二寸";低柳是在大堤内外自堤底部至顶部,"纵横一尺栽一株,入土二尺,土面留二寸";编柳,即用柳树树桩密栽,将小柳树卧倒栽种,用柳条将柳树桩编高,如同编篱法,如堤高一丈,则栽十层。这三种方法是用来加固和保护堤岸的。柳树生长之后,"内则根株固结,外则枝叶绸缪",因此名为"活龙尾箒(音 zhǒu,同"帚")"。深柳的情况是:"倒岸冲堤洪水,急栽深柳,将四尺、八尺或一丈二尺铁裹引橛钉穴俾深(这句话的意思是,用四尺、八尺或一丈二尺裹着铁的木桩钻孔,使这个孔穴钻得很深。橛,音 jué,木桩;俾,音 bǐ,使),将带梢柳枝,连皮栽入,即用稀泥灌满穴道,勿令动摇。纵横五尺,栽一株。多则十余层,少则五层。数年后下则根株固结,入土愈深,上则枝梢长茂。河水冲啮(音 niè,咬,比喻侵蚀、冲刷),亦可障御"。漫柳则是在坡水漫流却难以筑堤的地方,密栽低小柽柳

（柽，音 chēng。柽柳，木名，也称观音柳、西河柳、三春柳、红柳等，落叶小乔木，赤皮，枝细长，多下垂）数十层，俗称随河柳，水退之后，泥沙在上面堆积，逐渐生长，数年之后，自成巨堤。高柳就是在河堤的内外用高大的柳桩成行栽种。

用现代的眼光来看，“植柳六法”是生物防洪的实例。深柳是用来特别抵御倒岸冲堤的洪水。这是水土保持的措施。柳树的根系很长，密植后在堤坝内部盘根错节，交织成网，能有效地防止风浪的冲刷和雨水的侵蚀。成排柳树可以固定河槽，控制水流。漫柳密植多年形成黄河大堤，是改善生态环境的绿色工程，又是营造美妙景观的途径。夹堤栽柳，高下成行，堤柳成林，淡烟笼翠，翠荫层叠。

刘天和的《问水集》还系统阐述了黄河迁徙不定的原因；提出了黄河治理具有时代特点这一独到见解；他通过组织对黄河下游及其主要泛道河床的实际测量，认为黄河上宽下窄的河势是造成河南多水患的重要原因。

后人给予刘天和很高评价：“天和才而廉，所居官必有独创。”他将人文精神与科学技术相结合，求真务实、开拓创新，这样的态度和精神在当时是非常难得的，后世治水者也必将从中得到许多启示。

49. 海瑞

——以工代赈治吴淞

海瑞(1514—1587 年),字汝贤,自号刚峰,回族,海南琼山县(今海口)人,明代著名政治家。

隆庆三年(1569 年)海瑞调升右佥都御史,巡抚应天府,时应天巡抚辖苏州、常州、松江、镇江、徽州、太平、宁国、安庆、池州、广德等十府。应天十府,本为全国富庶之地,但由于贪官污吏的盘剥,加上连年受灾,百姓粮、役负担繁重,家家穷得苦不堪言。海瑞惩治贪官,打击豪强,疏浚河道,修筑水利工程,并推行"一条鞭"法,强令贪官污吏退田还民,遂有"海青天"之誉。

海瑞到任后,吴淞江一带正闹水灾,万顷良田泡在水中,收成无望,他决定疏浚吴淞江。在疏浚之前,海瑞于隆庆三年十二月实地勘察吴淞江段。同时,他还对《禹贡》、《三吴水利录》等专著潜心探研并用以指导治水,得出"若内水急流,则足以冲荡潮泥,免于淤塞"的结论。他根据测量数据以及对河段情况的分析,拟定了把嘉定黄渡至上海的宋家桥这段长 40 公里的江面由 30 尺拓为 45 尺的计划。

隆庆四年(1570 年)一月,疏浚工程开始。海瑞责成松江府同知黄成乐等总负责,上海县知县、嘉定知县为辅,分别在各河段督工。他本人则时常坐一艘小船,来回巡视施工情况。由于疏浚工程符合两岸百姓的愿望,所以大批农民自愿参加。除了疏浚吴淞江之外,海瑞还根据当地人民的反映和

要求，对太湖平原其他水道淤塞之处亦加以整治。

在整治过程中，海瑞看到当地饥民甚多，处于饥饿无食状态，针对这种情况，海瑞施行了“兴工之中，兼行赈济”的“以工代赈”之策，使13万饥民度过了饥荒得以活命，也正如海瑞疏浚前所预计的那样，“吴淞借饥民之力而故道可通，民借银米之需而荒欠有济，一举两利，地方不胜幸甚”。一方面是所有费用“不取之民，不损之官”，只用本来就应用作救济的仓库积储就能解决；另一方面，“兴工之中，兼行赈济，千万饥民，稍安戢矣”，饥民的情绪得到了稳定。更重要的是，由于吴淞江、白茆河的治理，在一个时期内消除了三吴地区的水患，有利于太湖平原水利格局系统的发展。就连当时反对海瑞的大地主松江人何良俊也不得不承认：前年海刚峰任应天巡抚，遂一力开浚吴淞江。隆庆四年、五年这个地区皆有大水，百姓没有遭受水害，即开吴淞江之力也。如果没有海瑞倡开吴淞江，怎能取得这样大的成功呢？

海瑞治水为后人留下了很多故事，也带来很多启示。《明史·海瑞传》评曰：“（海）瑞锐意兴革，请浚吴淞、白茆，通流入海，民赖其利。”而最使人感动的是百姓对海瑞治水成功的衷心感谢，他们甚至把海瑞看成是海龙王再世。据宋如林《松江府志》卷81载：“吴淞久湮，童谣云，‘要开吴淞江，须等海龙王。’人谓其工难成。”百姓用歌谣表达了他们的心声，由此可见海瑞兴修水利给百姓带来的巨大恩泽。

50. 万

——因势利导治黄河

万恭(1515—1591 年),字肃卿,别号西溪,江西南昌人。明嘉靖二十三年(1544 年)进士。授南京文选主事。历任考功郎中、光禄寺少卿、大理寺少卿等职。嘉靖末年为兵部侍郎巡抚山西,在山西西部黄河一带筑边墙 40 里以御“套寇”,并教授当地人民耕作技术和利用水车的方法,发展农业,颇有政绩。

明代是黄河多患时期,276 年内无有间歇。以 16 世纪为界,分为前后两期,前期河患多在河南境内,后期多发生在山东、江苏境内。隆庆六年,河决邳州(今江苏睢城镇),运道大阻。万恭总理河务,他率众“自徐州至宿迁小河口三百七十里,并缮丰、沛大堤”,使“正河安流,运道大通”,史称“恭强明达,一时称才臣”。后为人所劾,于万历二年(1574 年)四月罢官。万恭总理河务前后共 26 个月,跨三个年头。万恭认为“胸有全河而后能治河”。他请人绘制了自孟津至瓜仪 2 000 里的黄河图和自张家湾至瓜仪 2 800 里的漕河图,并勒石于总河公署的“四思堂”,给予后来者参考。万恭理河务的时间虽短,但对黄河的治理却作了不少贡献。

除了治理黄河,万恭还曾主持治理淮南运河。为了治理淮南运河,永乐初年曾在运东堤建减水闸数十个,为泄运西诸湖海水,并挖湖中淤泥,加固运堤。以后湖堤日高,诸闸淹没,运堤成为死障。湖水高出高邮、宝应城中数尺,每决堤,则

高、宝、兴化化为广渊。万恭主张在运河堤坝上建平水闸，从仪真至山阳建成23闸，分流入射阳湖入海。规定“但许深湖，不许高堤”。在淮南运河入江处分两道：一为瓜洲河，一为仪河，在分水处建闸，两河均通。

在职期间，万恭写有《治水筌蹄》一书，总结了长期以来治河治运的经验教训及其治河思想、方法、措施等，对后世治理黄、运有深远的影响。全书分条叙述，共148条，不分篇章，不列标题。每条长短悬殊，长者近2 000字，短者仅数十字。内容可分为黄河堤防工程的修缮、防护和管理制度，漕运的管理制度，黄河河道，运河河道，治河理论等5个方面。此书篇幅不大，然而资料丰富，多有见识，不尚空论，为明中期治河承上启下之作。

万恭对黄河特点和治河措施提出了不少精辟见解。他批判了过去“多穿漕渠以杀水势”的治河观点，认为黄河的根本问题在于泥沙，治理多沙的黄河不宜分流。因为“水之为性也，专则急，分则缓；沙之为势也，急则通，缓则淤”，黄河只有合流，才能“势急如奔马”。必须因势而利导，用堤防约束就范，使之入海，这样才“淤不得停则河深，河深则永不溢”。他还提出了将黄河来沙最多的伊、洛、沁河水他移避开入河，以减少黄河的沙量。他这一治河思想，对于当时治河是一重大创新。后来潘季驯治河时，即在此基础上进一步实践和发展，提出“筑堤束水，以水攻沙”的治河方针，延续应用达数百年之久。

51. 潘季驯

——四治黄河立奇功

潘季驯（1521—1595 年），字时良，号印川，乌程（今浙江湖州）人。曾四次出任总理河道（明代主持治河的最高官员），在明代治河诸臣中是任职时间最长的一位。他负责治理黄河、运河达 10 年之久，在理论和实践上都有重要建树，是明朝末年著名的治河专家。

嘉靖四十四年（1565 年），潘季驯首次治河。当年七月，黄河在江苏沛县决口，沛县南北的大运河被泥沙淤塞 200 余里，灾害空前。潘季驯提出了"开导上源，疏浚下流"的治河方案。此役共开新河 140 里，修复旧河 52 里，建筑大堤 3 万多丈、石堤 30 里，治河工程取得很大成功。

隆庆三年（1569 年）七月，黄河决于沛县，次年又决于邳州，运河河道淤为平陆约 100 里。八月，潘季驯受命治水。他提出"加堤修岸"和"塞决开渠"的办法，并认为，根本之计在于"筑近堤以束水流，筑遥堤以防溃决"。他集民工 5 万余人，堵塞决口 11 处，先解除水患。接着，又修筑缕堤 3 万余丈，疏浚了匙头湾以下的淤河，恢复了旧堤。这样一来，河水受束，急行正河，冲刷淤沙，使河道深广如前，漕运大为畅通。

到嘉靖末年，黄河下游徐州以上河道分汊达 13 支之多，淤积严重，连年为患。万历六年（1578 年）潘季驯第三次主持治河时，在前两次治河实践和吸取前人治河经验的基础上，进一步认识到"黄流最浊，以斗计之，沙居其

六”的黄河含沙多的特点，强调治河宜合不宜分。在处理水沙方面，潘季驯提出“以河治河，以水攻沙”的方策：其一，“筑堤束水”，主要采用缕堤，塞支强干，固定河槽，加大水流的冲刷力；修筑遥堤来约拦水势，并可利用洪水冲刷主槽；遥堤、缕堤之间，修筑格堤。由于黄河多沙，洪水漫滩，万一缕堤冲决，横流遇格即止。水退沙留，可以淤滩；滩高于河，水虽高，也不出岸，起到淤滩刷槽的作用。其二，加固洪泽湖东岸的高家堰，利用洪泽湖所蓄淮河之水以清刷黄，黄淮二水相汇，河不旁决则槽固定，冲刷力强，有利于排沙入海。这样“海不浚而辟，河不挑而深”，以达借水攻沙、以水治水之目的。

潘季驯第三次治黄离开后，朝廷河务松懈，河工废弛。几年之后，河患又多次发生。神宗皇帝于万历十六年(1588 年)第四次命潘季驯治河。潘季驯鉴于上次所修的堤防数年来因“车马之蹂躏，风雨之剥蚀”而降低了防洪作用，更加重视堤防建设。他认为“治河有定义而河防无止工”，即治河无一劳永逸之事，并提出了利用黄河本身冲淤规律实行淤滩固堤的措施。他在南直隶、河南、山东等地，对原有的 27 万多丈堤防闸坝普遍进行了一次整修加固，又在黄河两岸大筑遥堤、缕堤、月堤和格堤，共长 34 万 7 千丈，还新建堰闸 24 座，土石月堤护坝 51 处，堵塞决口和疏浚淤河 30 万余丈。这次治河对恢复运河畅通和发展农业生产都起到了很大的作用。

潘季驯一生四次治河，他始终心系治黄大计，在离职前还对神宗皇帝说：“去国之臣，心犹在河。”潘季驯的治河理论和实践经验收集在他所著的《河防一览》一书中，书中有详细的治河全图、有关治河的奏章和关于河防险要的论说，是中国古代治理黄河经验的珍贵记录，是中国水利科学的重大创获。

52. 汤绍恩

——千年遗泽三江闸

汤绍恩，生卒年不详，字汝承，号笃斋，安岳（今属四川）人。明嘉靖年间进士，嘉靖十四年（1535 年）由户部郎中出知德安府，同年移守绍兴，后官至山东右布政使。在绍兴任知府期间，他因修建了我国古代规模最大的挡潮排水闸“三江闸”而闻名。

浙江钱塘江河口呈喇叭形，海潮倒灌，受地形收缩影响，使潮头陡立，最大潮差可达 8.93 米以上，蔚为壮观，但也带来了极大的危害。自秦汉时起，这里的人民就与潮、旱、涝进行着不懈的斗争。嘉靖十四年（1535 年），汤绍恩移守绍兴，时“逢淫雨泛溢，决塘泄水”，“民甚苦之”。汤知府体恤民情，遍察萧绍平原的地理水道，“见波涛浩淼，水光接天，目击心悲，慨然有排决之志”。汤绍恩组织人员查阅有关水利资料，亲率人员遍察水道，观看山川地势，了解河道走向，在距玉山斗门以北 6 里的三江口、两山对峙处选作闸址。他发动山阴、会稽、萧山三县民众出钱出力，于嘉靖十五年（1536 年）七月开工，至次年三月竣工，修成三江闸。闸身全长 50 丈，宽 3 丈，共 28 孔，各孔闸门高度自 1 丈 6 尺至 2 丈余。设闸门 28 个，象征二十八宿，故又称“应宿闸”。闸内建有“泾溇”、“撞塘”、“平水”三内闸，备大闸冲溃之御；闸外筑石堤 400 余丈以扼潮水冲击。刻水则石于闸旁，用以根据水势潮情启闭闸门。嘉靖十七年（1538 年），汤绍恩又主持将古鉴湖东塘、南塘及通塞之堰、闸改建为水浒，东西连亘百里皆成通衢，既利于蓄水，

又便于交通。此外，又在闸上游右侧和绍兴城内各立一石水则，以作启闭标准。闸门由三江巡检代为管理。

在建闸过程中，汤绍恩身先士卒，殚精竭虑，几至呕血。工程未半，遇到大雨大潮，大坝随时有垮掉的危险，此时人心不安，众说纷纭，有些人甚至不告而退。汤绍恩向海神祈祷，又鼓励民工坚持下去。他立下誓言，如建不成大堤，愿以自己的身躯一同归之于滔滔东流。同僚与民工们无不为之感动，人人奋发，终于成此不朽之伟业。

"当年填海家家怨，今日宁澜处处烟"，汤绍恩营建三江闸不仅使萧绍平原的旱、涝、潮三种灾害基本上得到了解决，而且给民众带来了普遍的长远利益，既保护了这一带的生态环境，又为航运、水产等事业创造了有利条件。此后400余年，绍兴人民依靠其水闸而发展生产，保障丰收。直到1972年又在三江闸之外建造了另一座更大的新水闸，三江闸才完成了历史使命。

从明万历年间起，百姓就于府城开元寺和三江闸旁建立汤公祠、汤太守庙奉祀。清康熙四十一年（1702年）敕赐汤绍恩为灵济侯，雍正三年（1725年）敕封他为宁江伯。明代文学家徐渭撰联云："炼石补星辰，两月兴工当万历，缵（音 zuǎn，继承之意）禹之绪；凿山振河海，千年遗迹在三江，于汤有光。"此联将"凿山振河海"的三江闸工程盛赞为承大禹治水之业，而"于汤有光"一语更是很好地说明了汤绍恩的卓著声名。

53. 徐贞明

——海河水利立高论

徐贞明(约1530—1590年),字孺东,一字伯继,江西贵溪人,官至尚宝司少卿,为明代后期倡导海河水利的代表人物。

徐贞明认为,由于首都设在北京,而赋税集于东南,每年从江南一带通过运河运输数百万石粮食北上,耗费大量人力物力。运河沿途穿越的长江、淮河和黄河等大河的旱涝风险,也直接威胁到主要供应线。为了减轻这一负担,必须发展海河流域农田水利,以提高农业产量。他在考察过有关地区的地形、水文、土壤等自然环境后,上疏论畿辅水利,针对海河流域多旱涝灾害的实际,提出兴办海河流域水利的系统规划,主张在海河上游开渠灌田,下游开支河分泄洪水,低洼淀泊留以蓄水,淀泊周围开辟圩田,则水利兴而水害除。但这一建议未被采纳,而徐贞明又因事被贬官。

贬谪后,徐贞明著《潞水客谈》,进一步阐述自己的见解,驳斥反对意见,认为在北方兴修水利有14条好处,并提出逐步推广于丰润—京东—河北—西北各地的具体办法。他在治水问题上提出了一个重要理论——"夫利水之法……当先于水源",即"治水先治源",主张在治理泛滥成灾的河流时,应先从其发源地治理起,由于上游水势较弱,便于控制和利用,然后再依次及于中游和下游。书中涉及的地区,是我国水土流失现象严重的西北黄土高原及东部一些地区。

徐贞明又说,水"聚之则害,而散之则利;弃之则害,而用之则利"。他认为,人类对地面的水源不加以利用,听其自流,汇聚起来就成为泛滥成灾的洪水;反之,如果能积极发展农田水利,将水散布于田野沟洫之间,就不会有洪水灾害发生,从而使得水害变成水利。因此,他认为治水的关键在于把天

地间的水散开而不使其聚合。关于治河“散水”的措施，在河流的哪一部分采取“散水”方式最合适呢？徐贞明说：“源则流微而易御，田渐成则水渐杀，水无汛溢之虞，田无冲激之患。”就是说，由于上游水势较弱，便于控制和利用。散水的办法是自上而下，利用河水，将两岸的上地依次改造成水田。这样，经过层层散水，河水的水势必将被削弱，水患自然会得以消除。

《潞水客谈》当时颇为流行，万历十二年即重印。这本书流传开来，兵部尚书谭纶读后，赞不绝口。还有几位官员在实践中作了尝试，都收到了相当成效。徐贞明的声望也不断提高，万历十三年（1585 年）被任命为尚宝司少卿，后兼监察御史，领垦田使，受命兴修水利。他选择永平府（治今卢龙县）一带试行，次年即得水浇地 39 000 多亩。取得经验后，他又勘海河流域各地，准备推广，但由于豪强权贵的反对和谏官的弹劾，工程被迫停止。

徐贞明虽然未能目睹京畿水田的成功，但在他之后，袁黄、汪应蛟、左光斗等人，都先后作出了较大的努力，把徐贞明的理论变成了现实。今天在北京周边不少地方还一直保持着种植水稻的传统，人们在盛赞天津小站稻米的同时，就不能不想到其中还有徐贞明的一份贡献。

54. 徐光启

——农田水利深钻研

徐光启(1562—1633年),字子先,号玄扈,松江人,明代杰出的科学家,我国引进西方近代科学技术的先驱之一。一生勤奋著述,作品众多,代表作为《农政全书》。《农政全书》共分12门,60卷,70余万字,是我国古代一部集大成的农业科学著作。在书中,水利作为一目,有九卷之多,位居全书第二。

《农政全书》中的农政思想主要表现在用垦荒和开发水利的方法来发展北方的农业生产。徐光启认为,水利为农之本,无水则无田。当时的情况是,一方面西北地区有着广阔的荒地却弃而不耕,另一方面京师和军队需要的大量粮食要从长江下游启运,耗费惊人。我国古代自魏晋以来,全国的政治中心常在北方而粮食的供给、农业的中心又常在南方,每年需耗资亿万来进行漕运,实现南粮北调。时至明末,漕运已成为政府较大的弊政之一。为了解决这一矛盾,徐光启主张用垦荒、水利、移民等方法发展北方农业生产以解决这一问题。这正是《农政全书》中专门讨论开垦和水利问题的出发点,从某种意义上来说,这也是徐光启写作《农政全书》的宗旨。此外,徐光启还用了四卷的篇幅讲述东南(尤指太湖)地区的水利、淤淀和湖垦。

在水利经验总结中,徐光启强调对水资源的综合利用,重视水利测量。他推崇郭守敬从事大规模水利地形测量的做法,认为审慎的测量是规划工作的客观依据,并在《农政全书》中专门写了一章《量算河工和测量地势法》,

详细介绍了河道和地形测量的仪器、施测步骤、计算方法、验收核实以及如何发现和制止可能出现的作弊现象等，可以视作当时的测量规范。

16 世纪初叶，徐光启曾师从意大利传教士利玛窦和熊三拔等人，翻译过大量的西方著作，主要有《几何原本》、《测量法义》、《泰西水法》等。《泰西水法》是徐光启根据西方水利科技整理而成的一本专著，全书共 6 卷，是我国最早系统地介绍西方近代水利科学技术的专著之一。难能可贵的是，徐光启不仅系统地吸收了西方先进的科学技术，而且结合我国当时的农业状况，提出了一整套开发农田水利的设想。

从万历四十一年至天启元年（1613—1621 年），徐光启先后四次在天津进行屯田，研究农田水利工程，探索消除南粮北调弊端的可行性问题，以巩固国防，安定人民生活。此时的明政府已陷于内外交困的境地，根本无力支持屯田活动，因此徐光启的试验完全依靠个人力量。徐光启初至津南时，大面积稻田荒废，“仅静海县之葛沽高地已田”。他引进南方优良稻种，在葛沽购置 20 顷荒田，仍采用围田之法防涝，并戽（音 hù，汲水）海河水备旱，同时，利用海河潮汐进行灌溉。

徐光启一生有 30 余年从政，晚年官至礼部尚书、东阁大学士。他是一名天主教徒，对西方科技有比较广泛的了解。同时他又很注重研究我国丰富的科学文化遗产，学风严谨、求实，在多个领域都有所创获。农业和水利则是他平生用力最多、成就最大、贡献最著的领域。

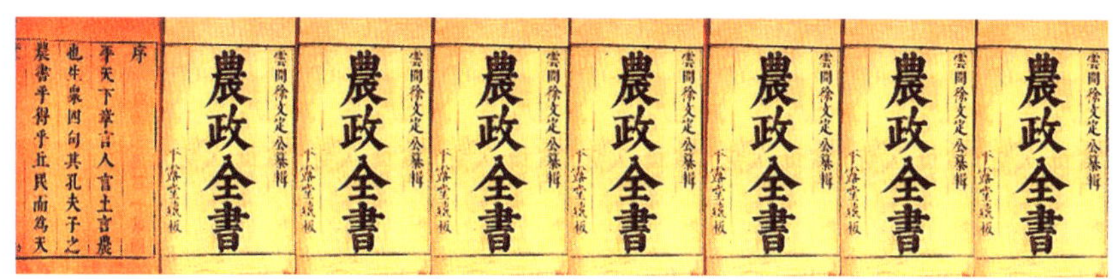

55. 左光斗

——治水“三因”“十四议”

左光斗(1575—1625 年),字遗直,一字共之,号浮丘,安徽桐城人。明朝末年著名政治家。

在明末农业衰落的背景下,左光斗注重兴修农业水利,并精于治水。自幼生于江淮水乡的左光斗在北方一针见血地指出:北方农业落后,其弊在水利不修;北方地区要发展,“旱不为灾,涝不为害,惟有兴水利一法”。他上疏中提出了兴办屯田水利的具体方法,这就是当时著名的“三因”与“十四议”。

三因:一是“因天之时”。左光斗认为,天下的生物都不能缺水。南方以水为利,而北方竟以水为害,这是由于北方没有意识到生物生长首先在于治水。二是“因地之利”,就是要根据自然地理条件,因地制宜地发展灌溉。三是“因人之情”,他认为,广大农民群众是很关心水利事业的,“南方人惜水如惜血”,关键是朝廷和各级政府要注重这个问题,号召和鼓励普遍兴修水利。否则,就是失人情,失去“国民之利”。十四议是:一议浚川、二议疏渠、三议引流、四议设坝、五议建闸、六议设陂、七议相比、八议筑池、九议招徕、十议力田之科、十一议募富开爵、十二议择人、十三议择将、十四议兵屯。左光斗的“三因”与“十四议”,内容丰富,颇有新见,而且非常科学。

天启元年(1621 年),左光斗领直隶(今河北省)屯田事,他亲自考察全

境，目睹“荒原一望，率数十里，高者为茂草，洼者为沮洳（音 jù rù，低洼之地）”的荒凉景象，忧心如焚，写了《足饷无过屯田，屯田无过水利疏》，提出北方应效仿南方，兴修水利，开荒屯田，引进种植水稻等措施。在具体实施时，他“亲巡阡陌，督官吏教民种植桑麻蒿桔”，招募南方农民到北方传授水稻种植技术；仿汉代开“力田科”，使不能中进士的文人勘测水系，从事农垦；鼓励勋贵、商人富户投资兴办农业；提出选拔地方官的标准，“既不扰民，又可劝农”。由于左光斗的极力倡导和躬亲力行，当时京城所辖地区“水利大兴，北人始知艺稻”。水稻种植为北方农业带来新的发展方向。天津兵备副使王祖宏感慨地说：“向之一望青草，今为满目黄云，鸡犬相闻，鱼蟹降网，风景依稀，绝似江南。”

左光斗知人善用，曾竭力举荐史可法。他为人清正刚毅，为重振朝纲，同魏忠贤等作生死斗争，曾疏列魏忠贤 32 条当斩的罪状，不料魏忠贤先发制人，诬光斗受贿银 2 万两，并假传圣旨，将其逮捕，直接关进监狱。天启五年（1625 年）七月，左光斗于狱中被摧残致死，时年 51 岁。思宗即位，追赠为右副都御史，赐国礼祭葬，赠太子少保，谥“忠毅”，奉祀乡贤祠。后人在县城建左忠毅公祠，以褒扬其一生正气和业绩。左光斗一生好学，少时爱读节义传记，后来精研程朱理学，著有《易学》、《左光斗奏疏》。

56. 朱之锡

——鞠躬尽瘁治三河

朱之锡(1623—1666年),字孟九,号梅麓,浙江义乌人,清初治河名臣。治理黄河、淮河、运河达十年之久,南北交驰,殚精竭虑,鞠躬尽瘁,卒于任上,年仅44岁。康熙谕赐祭葬。黎民百姓无不称颂其惠政,奉为“河神”,沿河立庙,春秋祠祭,并称之为“朱大王”。

顺治十五年(1658年),为了治理黄河与运河之交的董口淤塞,时为总督河道的朱之锡亲勘工地,从石碑口往南,别开新河250丈,以接连大河,终使河水流畅自如。顺治十六年春,他又亲驻山阳苏嘴一带,排除了五大工程中的危险问题,清理了诸多弊端。后又奔赴太行老堤,制定治河决策。建议中州各地派遣的夫役按照15年以前的属地,分远近和轻重缓急,渐次调用民工,这既保持了正常需要人数,又做到了合理摊派夫役,众百姓心悦诚服。朱之锡每年都要清理各地河官的财务,发现贪污渎职者,一律严惩。

大运河是清朝北自京师口、南抵杭州湾的一条水运大动脉,三河交汇处更是朝中南北运输的咽喉要道。这条清代漕运的水上生命线,一旦梗阻,粮草难行,兵马不动,后果不堪设想。顺治十八年(1661年)冬,清江至高邮300里间因水患,河道几成平地。朱之锡召集民夫彻底清淤疏浚。他奏请朝廷发给民夫粮食以作报酬,稳定了民心。因此,工程虽然浩大,劳工却不短缺。朱之锡鉴于运河因水灾或干旱都无法通航船只的实际情况,奏请朝廷修建了南起台庄、北至临清的多处调节水流的闸门,并严格控制船只运载的重量和开启、关闭水闸的时间,使运河得以终年通航。

康熙亲政以后,把河务当作巩固清朝统治的重大政治任务,加强对水利的整治。康熙元年(1662年),朱之锡任期已满,因功绩卓著,仍为康熙重用,

继任河道总督，成了两朝治河重臣。在康熙帝执政的最初15年内，黄河频频决口，给中原产粮区和江南富庶之地造成惨重的经济损失，直接危及清政府的财政收入，影响到局势的稳定。朱之锡长时间住在治河工地上，指挥抗洪抢险，安排民工和材料，手、脚、口都生疮溃烂，却依然不下火线，直到抗洪完成，险情排除。

朱之锡十年如一日，心系三河，尽忠职守，为了治水，常常废寝忘食，日夜操劳。即使积劳成疾也不告假治病调养，以致身体虚弱。朱之锡虽然赡养母亲于署中，但因总督七省的河务缠身，南北交驰，常年不在府中，难以守候在母亲身边以尽孝子之道。母亲去世后，朱之锡不得不在职守丧，他一边披麻戴孝，一边不分昼夜地奔波在沿河工地上，留下了“两年任所寄母棺”的美名。由于他的呕心沥血，三河水患得到极大程度的抑制。在他任总督河道的十年中，没有发生过重大水灾，沿河人民得以安居乐业，而他“河神”的美名也传遍天下。

57. 靳辅

——“疏浚并举”治黄淮

靳辅（1633—1692年），祖籍辽阳（今属辽宁），字紫垣，汉军镶黄旗人。清代著名的治河专家。自康熙十六年（1677年）至二十六年（1687年）间连续十年任河道总督，主持治理黄河、淮河、运河。

康熙十五年（1676年），黄淮水涨，奔腾四溃，淹了淮、扬七州县，康熙帝任命靳辅为河道总督，总理治河事务。靳辅与其幕僚、得力助手陈潢一起，对黄、淮两河及决口、灾区进行实地勘察，详细了解河情水势、堤防状况、水患灾情，并沿途向有实践经验的人求教。经过两个月的实地调查研究，靳辅对河道、运道的关系有了初步认识，提出了“治河之道，必当审其全局，将河道运道为一体，彻首尾而合治之，而后治可无弊”的治河方略，并尖锐地指出了河道日坏、河患日多的根本原因是重漕运不重治河、治河服从漕运的治河主张所造成的。靳辅和陈潢深思熟虑，由靳辅具名，连续向朝廷上疏八次，系统提出了治理黄、淮、运的全面规划，最后朝廷基本同意了他们的方案。于是，在陈潢的大力协助下，靳辅在黄淮下游的千里河岸，展开了一场声势浩大的修堤、筑堤、疏河工程。

康熙十六年，为了恢复黄、淮入海出路，靳辅在清江浦以下到海口300里的河道内，采取“疏浚并举”的办法，组织挑挖洪泽湖口烂泥，疏浚清口至云梯关河道，创筑云梯关外束水堤1.8万余丈，堵塞决口16处。次年，创建王家营、张家庄减水坝2座，筑周家桥翟坝堤25里，加培（注：培，使增厚之意）

高家堰长堤，堵塞安东、山阳、清河三县河堤及湖堤所有决口。第三年，在黄河南北两岸分别建砀山毛城铺和大谷山减水坝 2 座，徐州长樊大坝外月堤 1 689 丈。康熙二十年又集中力量堵筑溃决五年的杨庄决口。经过连续几年的大规模治理，黄河于康熙二十二年复归故道。

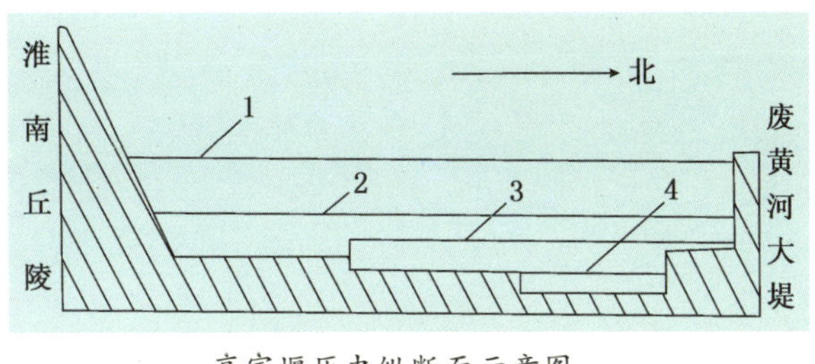

高家堰历史纵断面示意图

1. 今洪泽湖水库大坝　2. 清代的洪泽湖大堤
3. 明代后期的高家堰　4. 明嘉靖中的高家堰

靳辅对我国古代治河理论、治河实践、治河技术等方面均作出了重大贡献。在治河理论上他继承了潘季驯“坚筑堤防”、“束水攻沙”的思想，同时又有丰富和发展。靳辅强调在以水冲沙的同时，要辅以人工挑浚，提出“寓浚于筑”的思想，并称之为“一举两得之计”。在海口的疏浚中，他还总结出了挖“川”字河的办法，以利于迅速冲沙，冲深刷宽河道。在治河实践上，靳辅重视“逼淮注黄、蓄清刷浑”，更多地修建南岸减水坝以分泄黄河洪水。他还革新治河技术，在工程上进行了许多创新，如坦坡的修建，作为一项土坝防浪技术，它在湖泊水库的治理修筑工程中具有广泛的实用价值。靳辅还把流量概念运用于减水坝减水，这是定量方法在中国水利史上运用的开端，开始了我国治河事业从定性向定量的过渡，具有重要的历史意义。靳辅的治河方略及其实践在中国古代水利史上占有重要的地位，在他之后一些重要的治河人物，如齐苏勒、嵇曾筠、高斌等，都沿用了他的主张。直到今天，靳辅的治河方略及其实践，对水利工作者仍有不小的借鉴和启迪作用。

58. 陈 

——一生心血献治河

陈潢(1637—1688年),字天一(一作天裔),号省斋,浙江钱塘(今杭州)人,又说为秀水(今嘉兴)人,清代著名的治黄专家。青年时期即关心黄河问题,注重调查研究,曾沿黄河查勘至宁夏地区。他知识渊博,但在很长一段时间里怀才不遇。直至康熙十年(1671年),因一个偶然的机会与靳辅相识,成为知己,被靳辅聘为幕僚。此后跟随靳辅治理黄河,筹划了一系列的重大工程,成为靳辅治河的得力助手和主要的工程技术专家。其主要著作《河防摘要》、《河防述言》都收在靳辅《治河方略》一书中。

明末清初,河务废弛,黄、淮决口越来越频繁。为了治理黄河,康熙十六年(1677年),安徽巡抚靳辅被任命为河道总督,总理治河事宜。陈潢便竭尽全力帮助靳辅担当起治河的重任。为了充分掌握黄河、淮河的情况,制定正确的治河方针和措施,在陈潢的建议下,陈潢、靳辅一起走遍了黄淮地区,经过实地考察,他们认识到了治黄与治运的密切关系,认为:"盖运道之阻塞,率由于河道之变迁。"而以前很多治理运道的官吏只关心漕运是否畅通,对于河道决口则不加关注。

为了解决治河经费困难这一问题,陈潢建议靳辅实行屯田的办法,把水退之后涸出的荒地分给流离失所的灾民,然后把农民交纳的囤粮作为治河经费。他们一面向康熙皇帝上疏,一面在安东(今江苏涟水)试行这一办法,很有成效。

陈潢力主治河方法多样化，认为必须根据水流和来沙规律，因地制宜，因势利导。后来，针对黄河下游"善淤、善决、善徙"的情况，他甚至提出，阻止泥沙下行，是治河之根本，因而萌发了水土保持思想。在治河方法上，陈潢继承和发展了明朝治黄专家潘季驯"筑堤束水，以水攻沙"的治河思想，注重把"分流"和"合流"结合起来，把"分流杀势"作为河水暴涨时的应急措施，而把"合流攻沙"作为长远安排。在治黄中，陈潢发明了测定水流量的方法，"以测土方之法，移而测水"。他的"测水法"相当于现在的流速流量测量方法。这是陈潢对我国水利事业的突出贡献，在世界水利科学技术发展史上具有重要价值。

在靳辅和陈潢的积极带领和组织下，广大民工筑堤坝，堵决口，挑引河，疏河道，并在徐州、睢宁、宿迁、清河等地兴建了一系列闸坝，调节黄河正河流速水量，同时用开挖引河等办法，借水力疏浚了海口。从此，黄、淮安流，漕运畅通，取得了清朝260多年中治导黄河下游的最大成功。

黄河下游经过多年治理，涸出了万顷良田，地方的豪强劣绅趁机纷纷抢占土地。靳辅、陈潢派人严格清理，触犯了豪强劣绅的利益。于是，那些人勾结贪官污吏，对陈、靳大肆造谣诬陷。最后，靳辅被革职，陈潢被下狱，并冤死狱中。康熙二十八年(1689年)，二人沉冤得以昭雪。陈潢一生命运坎坷，但丝毫不改治河之志。他在水利事业上的智慧、功绩和奉献精神，将永载史册。

59. 李光地

——“夹辅高风”治水患

李光地(1642—1718年),字晋卿,号厚庵,别号榕村,福建安溪人。清康熙时大臣、理学家,对清代水利事业多有贡献。清康熙九年(1670年)中进士,进翰林,累官至文渊阁大学士兼吏部尚书。他为官期间,政绩显著,康熙帝曾三次授予御匾,表彰其功。康熙帝与李光地“情虽君臣,义同朋友”。

明末以来,战争频繁,民族矛盾尖锐。朝政腐败,水利失修,以致水患频繁发生。康熙亲政后,便把“三藩”、河务和漕运列为首先办理的大事。康熙三十六年(1697年),漳水改道后,李光地奉命视察漳河。他发现漳河分为四支,便筑河堤以治理漳河,为日后漳河水全部接济运河提供了保障。康熙三十七年(1698年),李光地被任命为直隶巡抚,康熙帝面谕李光地亲自踏勘漳河和滹(音hū)沱河[子牙河水系包括漳河、滹沱河和滏(音fǔ)河],并要求他制订一套治理方案上奏朝廷。李光地得旨后便迅速行动,于第二年四月上呈了一份周详完整的治漳方案。康熙帝看过后,表示赞同,下旨施行。李光地在施工时非常注重动员周边百姓。同年秋,李光地批示两岸州县官府组织民众疏浚河道,使漳、滹两河由馆阁流入大运河,又开通单家桥处的子牙河的支流。前后只用了十个月,子牙河工程便顺利竣工。康熙帝亲临巡视,十分满意,御赐李光地《子牙河诗》。

康熙三十八年(1699年),康熙帝命河道总督王新命和工部侍郎赫硕兹

治理永定河,可是事过一年,毫无成效。康熙甚怒,特命李光地查核工程进展。李光地在核查的过程中发现了不少问题,便如实上奏。康熙帝撤了王、赫二人治河的职位,授命李光地负责治理永定河事宜。康熙四十年(1701年),康熙帝又派工部侍郎白硕色协助。二月,李光地奏请全面动工。李光地严密规划组织,划界承包,专人负责。他乘船驻柳坌(音 bèn)口,每天巡视工地,督促指挥。百姓起初不解其意,消极怠工,甚至口出怨言。李光地就召集了父老民众,向他们详细说明修建永定河水利工程功在国家,利泽百姓,从而调动了民工的积极性,原定一年完成的工程,短短四十天就竣工了。康熙帝亲自巡视工程,十分满意。为了表彰李光地的功绩,特颁赐诗、字,并御书"夙志澄清"的匾额。康熙五十二年(1713 年),康熙帝再赐李光地"夹辅高风"御匾。"夹辅",就是左右辅佐;"高风"则指李光地德才兼优,品德高尚。

李光地一生,辅弼帝业,清勤谨慎,始终如一,其光辉业绩,不胜枚举。李光地近半个世纪的政治生涯,均在康熙帝执政时期。他病逝时,康熙帝深为震悼,谕朝臣曰:"知之(李光地)最真,无有如朕者;知朕,亦无过于光地者。""三赐御匾",便是对李光地光辉一生最高的概括。其死后被谥"文贞",加赠太子太傅,并列清初一代名臣。

60. 朱轼

——经学名士修海塘

朱轼(1665—1737年),字若瞻,号可亭,江西高安人。清代康熙、雍正、乾隆三朝重臣,经学家、文学家,做过乾隆皇帝的老师。有德政,以清廉审慎出名。任浙江巡抚时,首创"水柜法"修筑海塘,为治理沿海水患作出了重要贡献。

清代,江、浙两省乃漕粮主要产区,因此修建海塘工程、保护沿海地带特别是钱塘江口沿岸的富庶土地,就成了清政府政治经济活动中的重要内容。但是,海宁、上虞一带向来多海患,百姓损失惨重。在元代、明代筑堤塘,堤基尽是浮沙,经常崩塌。朱轼上任伊始便进行巡视,回来后连夜上疏朝廷,请求修建钱塘江海塘。他经过多次实地考查和认真的反复研究,最终认为只有采用"水柜法"筑石堤,才能保持不崩塌。所谓"水柜法"就是用松树、杉树等耐水木材,做成长丈余、高四尺的水柜,内塞碎石,横贴堤基,使其坚固。再用大石高筑堤身,附堤别筑坦坡,高度大约为堤身的一半,仍以木柜为主,外面砌巨石二三层,用来保护堤脚。雍正二年(1724年)七月,钱塘江潮水几乎冲毁了两岸的全部土石塘,而朱轼主持修建的石塘则完好无损,成为以后兴建海塘的样板。同年,担任吏部尚书的朱轼又受命勘查江苏、浙江两省的其他海塘。次年提出了整治维修方案,计划对多处海塘进行重修兴建。朱轼的建议获得批准,"下部议

行”。

雍正三年，海河流域大水，七十余州县被淹。雍正皇帝派朱轼协助怡亲王主持治水。他们认为：“水聚之则为害，而散之则为利；用之则为利，而弃之则为害。”决定在治河的同时，着重兴办水利营田，分散用水，从而达到治水的目的。第二年，他们在今天的滦县和玉田县等地试种水稻150多亩。随后，百姓纷纷效仿，并获得丰收。随后，朱轼等人又采取一系列奖罚措施，调动了地方兴修水利的积极性，水利营田得到迅速推广。到了雍正七年，畿辅地区共开垦水田6 000多顷，加上雨水比较均匀，因而连年丰收。农民安居乐业，一派喜人景象。畿辅水利营田对开发海河流域水利起到了很大的推动作用，但繁荣之景也仅仅持续了四年。雍正八年，朱轼兼任兵部尚书，署翰林院学士与总理营田，由于年老多病，力不从心，水利营田也就停滞不前了。雍正九年经过核查，放弃了部分水源不足的耕地。到了乾隆初年，由于缺乏领导，水利营田便逐渐衰败。清代晚期，又有人小范围推广水田，但由于当朝没有给予足够重视，加之水源短缺，水稻种植始终难以大面积推广。

乾隆元年（1736年），朱轼病卒。因他治水有方，政绩斐然，品行端方，学术醇正，在其病中皇帝曾亲临探视，死后被追封为太傅，谥“文端”，入祀贤良祠。另外，朱轼在救济灾民、安定社稷、巩固边疆方面，也都作出了杰出贡献，成为流芳千古的一代名臣。

61. 西林觉罗·鄂尔泰

——云南治水泽后世

西林觉罗·鄂尔泰(？—1745 年),字毅庵,满洲镶蓝旗人,清代水利专家。康熙四十二年(1703 年)由举人世袭佐领,官至军机大臣兼理侍卫内大臣、议政大臣。在职期间,注重发展水利事业,曾提出“水利为第一要务”的主张,尤其对云南水利建设作出了巨大贡献。后人有“元代则赛典赤,清代则鄂尔泰,厥功至伟”的赞誉。

鄂尔泰曾几次查勘太湖,后又详细调查直隶的河道,提出了整修永定河的全面规划。雍正三年至十年(1725—1732 年),在总督云、贵、广西期间,他的治水成效更为突出。据史料粗略统计,雍正年间,他仅在云南、贵州两省的 20 多个州县就扩建、改建、重建与新建各类水利工程 84 项,占全国这一时期兴办水利工程总数的三分之一,从而对这些地区抵御自然灾害,促进农业生产,发展航运事业起到了重要作用。

鄂尔泰到云南后,目睹“一遇愆(音 qiān)阳,即顿成荒岁”、“旱潦相仍,米价腾贵”的景象。由此,他提出了“地方水利为第一要务,兴废维系民生,修浚并关国计”的主张,非常重视水利建设,并亲自实践。鄂尔泰“博采舆论,合看绘图”,做了许多调查研究。他认为在云南兴修水利,要从“跬步(跬,音 kuǐ。跬步,半步,跨一脚)皆山”、田少地多的实际出发,针对不同地区的气候、地形和水资源等自然特点,因地制宜地筹划和安排工程项目。在任职期间,经他筹划、部署或督促,各州县兴修了不少水利工程。对于一些

效益大、投资多、复杂艰巨的工程，鄂尔泰特别慎重，详细勘查，委任或指定官员专职办理。

雍正七年至十年（1729—1732 年），鄂尔泰对滇池进行了集中治理，对入滇池的六河进行了疏浚、修堤、建闸，共完成了 46 项工程，增加了滇池的泄洪量，并“确定岁修银八百两”，以加强管理养护工作。泸江是南盘江的重要支流之一，可灌田 70 里，效益很大。由于岩洞内有十三重石埂阻隔，沙滞泥淤，水泄不畅，不但不能发挥效益，而且每遇夏秋暴雨，常常溃决堤岸，淹没田庐。明代时就曾不断整治岩洞，但始终没有成功。鄂尔泰初派官吏开凿时，因当地人说，洞内有神物，“辄有风霾砂石，必中伤人”，迟迟不敢开工。鄂尔泰深入现场，动员群众说，神是保佑民众的，不是虐杀民众的，近日兴修水利，除害济民，若神不同意，神就不会显灵。因此终于说服群众，清除洞内积石，并“浚河培埂，密植柳树”，从此“有利无害，禾稻收成”。

鄂尔泰很注重总结经验教训。如关于泸江及其支流的治理方略，他撰写了《临安修河教》；对滇池海口和昆明六河工程的特点、功能、已建情况和今后设想，则在《修竣海口六河疏》中论述甚详。他离任前撰写的《云南水利疏》，对雍正三年至九年云南省的水利建设成就，较大工程的布局、实施办法及效益、存在问题及今后的规划打算，均作了分析研究和阐述，堪称云南水利史上的一篇名著，对现代水利工作者仍有借鉴作用。

62. 嵇曾筠

——“引河杀险”治黄河

嵇曾筠(1670—1738 年),字松友,号礼斋,江南长洲(今江苏苏州)人,清代大学士、水利专家。

为了了解黄河水势,嵇曾筠曾亲自踏勘西起河南荥阳、东到山东曹县和安徽砀山的数百里黄河南北大堤。他发明并多次使用开河导水、排除险情的“引河杀险”法,治理黄河水患。这种方法是在黄河河道过于弯曲处开挖引河,引导部分河水自直道下泄,减轻河水对凹岸大堤的冲刷压力。

雍正元年(1723 年),黄河决堤十里,嵇曾筠被派去堵筑河堤。当时正是黄河与沁水的涨潮期,水漫溢至姚期营、秦家厂、马营口。嵇曾筠亲自乘着小船到上流审视水势。他观察到,黄河河水自三门七津建瓴(音líng,建瓴意为倾倒瓶中之水,形容居高临下、难以阻挡的形势)而下,经过孟县、温县,北岸又有沙滩,逼迫着水往南流,到了仓头口又绕过广武山根。这样的地势蜿蜒曲折,形如兜状,抗洪和疏流能力极差。此外,官庄峪又有一处山嘴外伸。秦家厂一带正冲着水流凶险之地,所以历年大水成患。于是,嵇曾筠在仓头口开挑引河,对准官庄峪下游水口,越过山嘴,大流全走中泓,使得秦家厂一带逐渐免于水患。

雍正二年(1725 年),嵇曾筠任副总河。当年开封附近黄河河心出现淤滩,河水从淤滩南边绕行,河道有南迁的危险,威胁开封黄河大堤。嵇曾筠提出了在淤滩上开挖一条引河,以利河水畅流的方案。这一方案经雍正帝

同意后迅即施工，引河开成后，这一带得以逐渐免除水患。

雍正八年(1730 年)，嵇曾筠任江南河道总督，驻清江浦(今江苏淮阴)。他抓住辖区内洪泽湖、京杭运河水利工程的两大要害处，督责修建淮河入洪泽湖的山盱，洪泽湖入运河、黄河的高堰，运河通长江的芒稻河闸等关键性堤闸工程，控制了流入黄河的沭河水和通向长江的运河水。在兴办各项工程时，他精于计算，总计节省库银 100 余万两。

雍正十三年(1735 年)，嵇曾筠被调浙江总理海塘工程事务后，他首先择险修砌石塘、修补坦水、加镶柴塘、帮筑里戗(音 qiàng，大堤外围对大堤起加固和保护作用的小堤)等以巩固旧塘，并将海宁的一段绕城险塘改建成鱼鳞石塘 505 丈，并筑随塘坦水。随后又建海宁城东、西的鱼鳞石塘 6 000 余丈，虽未在他离任前完成，但已为海宁建成永久性的一线海塘奠定了基础。嵇曾筠建的鱼鳞石塘，制式完善，成为以后修筑钱塘江强潮地段海塘的模式，一直沿用到民国初期。此外，他还以《千字文》字序统编仁和至平湖四县柴、石各塘塘号，以利管理，组建运石船队，并制定一系列管理章程、纪律，使工程质量得以提高，海塘得以稳固。

嵇曾筠治河善于因势利导，他发明的“引河杀险”法多次运用，卓有成效，在治黄历史上占有重要的地位。由于治河功劳巨大，他深得朝廷赏识和器重。雍正几乎年年给予嘉奖，官职累升，但他始终在一线治河，不辞辛劳，为国排忧，为民解难。著有《师善堂集》、《河防奏议》传世。

63. 陈 仪

——“济世奇才”治津水

陈仪(1670—1742年),字子翔,号一吾,直隶文安(今属河北)人。他精于古文,学识渊博,浚治水患,经世济民,是清代著名学者、治水专家。与稍晚的纪昀(字晓岚)并称京南二才子,时人称之为“济世奇才”。

陈仪少时,家乡常遭受水患,有“涝了文安洼,十年不回家”之谚。畿(音jī)辅(指京都附近的地方。畿,京畿;辅,三辅)河道关系着故乡群众的命运,所以陈仪成年后即致力于河防等经世之学,同时非常重视实地踏勘,对直隶(河北省)诸河道的情况了如指掌。

雍正三年(1725年),京津地区发生大水,雍正皇帝派其弟怡亲王允祥和大学士朱轼来到天津一带“相度浚治”。允祥非常希望得到“善治河者”的辅助。此时朱轼便想起了他的门生——怀抱经济治世之才、对治河颇有见解的陈仪。不久,怡亲王在直庐接见了陈仪。陈仪根据前人“治河宜从低处下手”的经验,指出天津为“百川之间”,“南、北二运并泻,东西两淀争奔,骈趋于三岔一口”,因此要想治理天津水患,“莫如先扩达海之口,欲扩海口,莫如先减入水之口”,即首先疏浚或挑挖减水河。允祥听毕,非常满意,认为他的话“手画口陈,洞中机宜”,立即把他留在身边。第二年春天,57岁的陈仪随怡亲王、朱轼巡视治理直隶水利,治水过程中的一切教令、奏章均出自陈仪之手。

雍正八年(1730年),陈仪升为侍讲学士。当时,朝廷议定设营田观察使二员,分辖京东、西,以督率州县。皇帝嘉赏陈仪在天津治水营田的业绩,便命他以佥都御史官充任京东营田观察使,仍驻天津。就在这一年,怡亲王去世,水利营田府解散。一时间浮议四起,有些官吏声称营田治水多此一举。

陈仪力排众议，继续主持京东一带水利。

南运河长屯堤，地属静海。某官吏玩弄法令条文行奸作弊，长期以来，年年调集霸州、文安、大城的民工协修。协修民工携带粮食，行程百里，叫苦连天。陈仪曾先后四次查问此事，均无答复。雍正九年，陈仪又极力向新任直隶河督沈廷正申述，终于解除了这三个州县的劳役。另外，从东安（今安次区）、永清至文安（属霸州市）胜芳淀，均受永定河水患，数百里沙积泥淤，凋敝不堪。陈仪兴修水利，教大家栽蒲插苇，植莲种稻，织席捕鱼，百姓遂日益富裕。

雍正十一年（1733 年）夏天，京北连降暴雨，山洪暴发，数以万计的田园、房屋被洪水吞没。陈仪置个人安危于不顾，冒“侵官”之罪，向皇帝奏报灾情。皇帝下诏筹措赈济，命陈仪掌管此事。陈仪奉命四处奔走，八方求援，千方百计筹集钱粮，共赈济灾民 34.7 万多人。

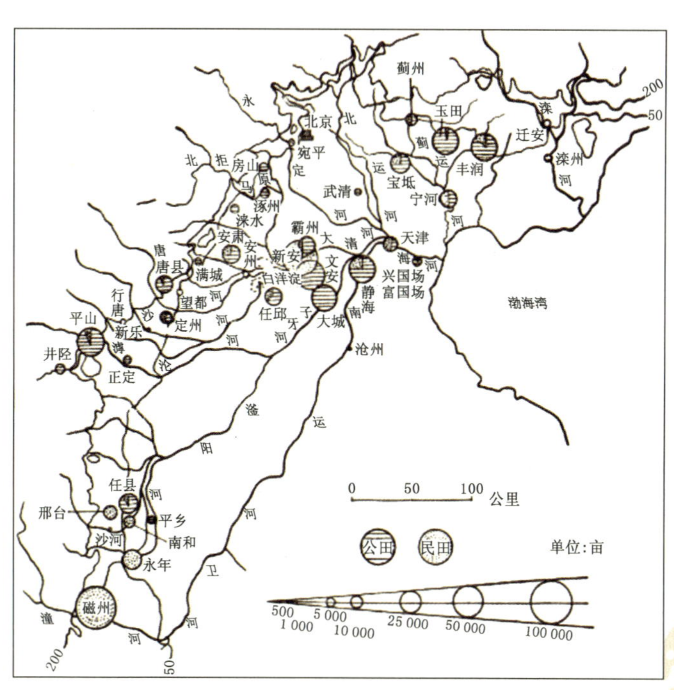

雍正年间畿辅水利营田成绩示意图
（选自侯仁之《历史上海河流域的灌溉情况》）

陈仪一生勤于著述，他曾将自己开发围田的方法记录下来，编成《水利营田册说》，后经他人整理、作图，刊为《水利营田图说》。光绪年间编辑《畿辅通志》时，收录该书于“河渠略 · 治河说”部分中。陈仪的治水思想和治水实践为中国水利科学增添了一笔重要财富。

64. 高斌

——河道总督为民生

高斌(1683—1755年),字右文,号东轩、高佳氏,满州镶黄旗人,乾隆皇帝慧贤皇贵妃之父。雍正六年(1728年)授广东省布政使,九年迁副河南山东河道总督。自雍正十三年(1735年)至乾隆十八年(1753年),曾三任江南河道总督,授大学士。

高斌对靳辅的治河思想和治河方略有所继承,并进一步完善"分黄助清"的防洪措施。乾隆元年(1736年),河南永城、江南萧县遭河患,上命高斌和两江总督赵弘恩、河南巡抚富德筹备疏通之策。高斌等认为黄河南岸有毛城减水坝、萧县王家山天然减水石闸、睢宁县峰山减水石闸,本是分黄导淮、以水治水的善策,但由于年久积淤,河道变浅,所以才频频引发河患。于是疏浚毛城铺洪沟、巴河二河,并于二河上游开蒋沟河,又筑祝家口、潘家口二坝。同时疏浚王家山天然闸和峰山减水四闸。

当时淮扬运河段两岸百姓亦常遭水患,高斌认为淮扬运河从清河到瓜洲这一段,源自洪泽湖,每遇洪泽湖泛滥,运河亦涨潮,而两岸又缺少坚固的闸坝,泄洪能力很低。他建议在原有的天妃、正越两闸之下,每隔百余丈,各建草坝三座。坝下建正石闸两座、越河石闸两座。又于所建二闸尾各建草坝三座。"重重关锁,层层收蓄,则水平溜缓,可御洪泽湖异涨,亦可减运河水势。湖水三分入运,七分会黄。山盱、尾闾天然南北二坝,非洪泽湖异涨不可轻开,使清水全力御黄;而高、宝诸湖所受之水,循轨入口,不至泛溢下河。则高、宝、兴、盐诸县民田可免洪湖泄水之患。"他的建议当时被采纳并付诸实施,取得了令人满意的效果,但后来的官吏又因不得其法,以致"黄弱沙淤,隐贻河患"。

对于黄河河水倒灌泛滥的情况，高斌主张别开新运河，堵塞旧运河。他认为，黄河自宿迁到清河，河流湍急，内逼运河，唇齿相依。他建议培筑运河南岸缕堤，作为黄河北岸遥堤，同时进一步巩固北岸堤防，以保运河安全。

乾隆十八年（1753 年），洪泽湖水再次泛滥，邵伯运河二闸冲决，高邮、宝应诸县被水淹。九月，秋汛已过，黄河在徐州张家路决口，当时新任江南河道总督策楞奏称：淮徐道义官管河同知李焞（音 tūn）和武官守备张宾，因共同侵吞工帑（音 tǎng，财帛，这里是指工程经费），以致误工决口。皇帝震怒，立令把李焞、张宾二人斩首示众，将高斌及江苏巡抚协办河务张师载，以渎职徇纵罪，绑赴刑场陪斩后，解缚释放，以儆效尤。这是清廷对河工失职官员的一次最严厉的惩处，在朝文武官员，无不凛然。但至乾隆二十二年（1757 年），朝廷又谕曰："原任大学士、内大臣高斌，任河道总督时颇著劳绩……功在民生，自不可没"。二十三年，乾隆帝念其治河功，追谥"文定"。可见，高斌爱民之心、勤政之德、治河之功在当时即已得到认可。对后世治河者来说，高斌的治河主张和治河实践则是一种重要的参考。

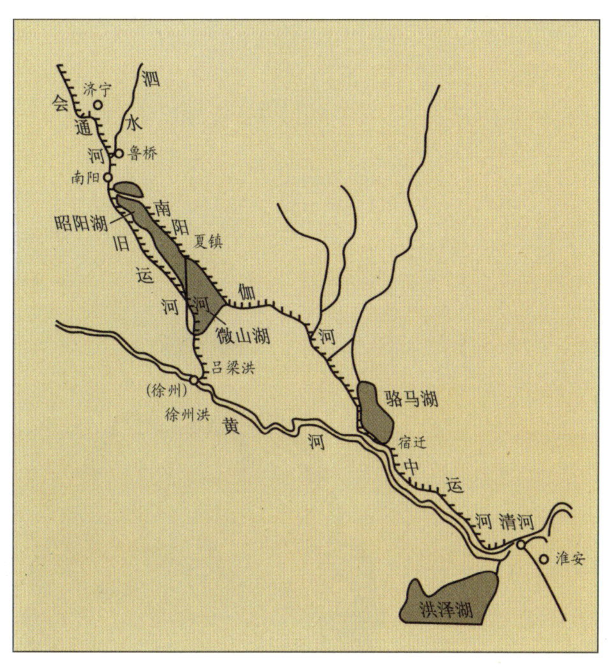

65. 允祥

——畿内江南立功劳

允祥（1686—1729 年），康熙的第十三个儿子，生母是章佳氏，籍隶镶黄旗满洲。在众多的兄弟中间，允祥与雍正最为相投，是雍正一生最为亲近的兄弟兼实际意义上的首辅。雍正即位以后，即为和硕怡亲王，总理朝政，又出任议政大臣处理重大政务等。允祥一生为国为民谋利造福，他在水利上的贡献主要在以下三个方面。

第一方面的贡献在治理京畿水患。雍正与允祥小时候就一同跟随康熙参与过黄河治理工作，因此允祥对于水患的治理还是颇有经验的。雍正三年，直隶水患，允祥临危受命，迅速展开了工作：他徒步对京郊东、西、南三面数千里的地区进行勘测，长途跋涉，不辞辛苦，不论大小河道沟渠都一一进行测量并绘出图纸。回京城后，向雍正提出了兴修、疏通河道，深挖河渠，修筑大坝，建置闸门，合理划分田埂与沟渠等建议，得到了雍正的充分肯定并得以迅速实施。允祥为了完成这项浩大的工程，往返于京郊地区十个月，冒严寒顶酷暑，兢兢业业，终于将水患变为水利。

把水利与营田紧密结合，这是允祥为京畿人民所作的第二大贡献。允祥在治理河渠的同时，注重发展农田水利，兴建水利营田，分散使用水资源，

达到了治水用水的双重目的。他杰出的工作得到了雍正的肯定。雍正四年，下令设立营田水利府，主要工作仍然交给了允祥。允祥接到任务之后便马上投入了工作：在滦州、玉田等州县试行水稻种植，并大规模疏通河道，筑堤围田。这次试行种植和设施建设的收效巨大：当年修成水田 150 余顷，并且大力推广水稻种植，在第二年扩大到附近的霸州、文安、大城、保定、新安、任邱等地，共计 714 顷，当年大获丰收。

除了造福京畿人民外，允祥还十分重视水患频繁的江南，并为之付出了巨大的心血。当时由于连年洪水泛滥，江南水道状况非常恶劣，淮河河道多有淤塞。允祥属下有个叫李淑德的官员，曾经在江南地区做过官吏，有丰富的水利工作经验。于是允祥不耻下问，向他了解情况，请教治理措施，然后向雍正奏明必须抓紧治理江南水道的利害关系。当时，京畿的水患并未完全消除，雍正本想着等允祥完成京郊工程以后再派他去南方。但看了允祥的奏折后，雍正只好命他连续作战。就这样，允祥马不停蹄，又成为江南水道工程的指挥员。在他的策划和具体指导下，江南十几个州县的河流很快得到疏畅贯通。为此，雍正称赞道：“亿万生灵，永受其福。”

允祥逝世后，他兴修的水利工程仍旧发挥着巨大的功效。雍正对允祥所做的水利工作给予了高度评价，在允祥墓地的碑文中，雍正写道：“兴田功于畿内，粳稻连畴；筹水利于江南，河渠顺轨。”

66. 齐苏勒

——治水盛名比靳辅

齐苏勒(? —1729 年),字笃之,纳喇氏,满洲正白旗人。清代水利专家。曾主持黄河、运河的治理工作,疏浚河道,修筑堤防,下令严禁占地围垦,鼓励种植苇柳,收到良好效果。

雍正元年(1723 年),齐苏勒担任河道总督。他一上任就上疏阐述自己的治河理念。他认为治河的关键在于事先防御,这样就能节省大量的人力、财力、物力。假如等河道濒危泛滥后再去治理,只会劳民伤财,“一丈之险顿成百丈,千金之费縻至万金”。他又认为各地堤坝日久失修,是由于当地河员不重视整修河务、滥用政府拨给的资金而致,对于这样的官员应立即严加惩处。他的这些建议很快就得到重视并被采纳。为了解水情,齐苏勒“乃周历黄河、运河,凡堤形高卑阔狭,水势浅深缓急,皆计里测量”。

齐苏勒治河首先应对的是黄泛这个老大难的问题。阳武、祥符、商丘为黄河岸边三县,在这一地带黄河北岸有三条支流,绕行 50 余里;南岸青佛寺又有一条支流,绕行 40 余里。齐苏勒考虑到它们水势凶猛时可能会冲坏大堤,危及岸边诸县,便命修筑堤坝抵御,每隔 780 丈,接筑子堤,总共绵延 9 288 丈。他又担心洪泽湖水势弱,一旦黄河水倒灌,会酿成水患。于是上奏修筑河口两岸大坝,中间留一处水门,束高清水以抵黄流。

当时漕运在山东境内的一段屡因当地湖水浅弱而受阻,朝廷发诰书命齐苏勒设法使山东诸湖蓄水以利漕运。齐苏勒认为,一方面兖州、济宁境内诸湖历来为运河蓄水,以保持运河畅通,但是当地平民趁着河水干涸的时候纷纷占地围垦,以致湖身渐狭。所以应该趁水落时节,除去被占垦的农田,丈量立界,禁止再被侵越。另一方面,当运河盛涨时,应引水使之与湖平,在

此地筑堰堵截；如果水浅，则引之从高下注诸湖。再在两岸或筑堤，或植树，或者修筑闸门，随时调节水位。这些建议实施后，“湖水深广，漕艘无阻”。

雍正三年(1725 年)，齐苏勒奉命与总督田文镜察视即将竣工的浚引河。齐苏勒上奏言：“浚引河必上口正对顶冲，而下口有建瓴之势，乃能吸大溜入新河，借其水力涤刷宽深。今所浚引河，与现在水向不甚相对。当移上三十余丈，对冲迎溜。复于对岸建挑水坝，挑溜顺行，以对引河之口。俟水涨时相机开放，庶河流东注，而南岸堤根可保无虞。”朝廷于是命令内阁学士何国宗等人重新测量，命齐苏勒会勘。齐苏勒亲自督察，确保无虞。在不断的亲身实践中，齐苏勒得出“治河物料用苇、柳，而柳尤适宜”的论见。他鼓励在河道两岸相对空旷的地方种植柳树，在坑洼的湿地种植芦苇，以保持水土。

齐苏勒一生勤于治水、善于治水，屡建功绩。在他的治理下，黄河、运河的堤坝得以加固，水患平息，漕运畅通。另外，齐苏勒还曾疏浚吴淞江。朝廷将他与治水名臣靳辅并称。雍正八年，京师贤良祠建成，齐苏勒与靳辅一同入祀。

67. 方观承

——直隶总督水利情

方观承(1698—1768年),字宜田,号向亭,安徽桐城人,清代著名水利专家。雍正时为平郡王记室,乾隆七年(1742年)授直隶清河道(辖区在今内蒙太仆寺旗一带),官至直隶总督。

方观承为官期间曾上奏治河方略数十次,主持修建多项水利工程,效益显著。其中最突出的贡献是永定河的治理。

乾隆十三年(1748年),时任直隶清河道的方观承上书皇帝,请求在永定河靠近北大堤的地方改移下口,以便把河水引到附近的农田中,确保下游畅通无阻。五年后,方观承又一次上书请求在北岸开堤引水作为下口,水流到五道口东南导入沙家淀,再由凤河转入大清河。方观承不仅仅治水,还十分注意水土的保持,也注重把工程建设和经济发展相结合。乾隆二十一年(1756年),方观承由陕甘总督任上回到直隶省再任总督,他再次上书请求在永定河淤滩地上留出十丈宽作为栽种柳树取土的地方,其余拨给守堤的贫苦农民耕种,这样既保护了滩涂,又为农民提供了耕地。乾隆二十七年(1762年),他又上奏皇帝,请求将直隶省所有的河渠堤埝等水利工程及各处的减河、叠道一律维修加固。他开挖易州城北的安国河渠,引水灌溉农田,并开挖支渠,修建相应的大小闸门,根据需要随时启闭。渠道挖成后,皇帝赐名“安河”。紧接着,方观承又上书皇帝,详细陈述了直隶省的河道沟渠工程情况。在任直隶总督期间,方观承密切关注永定河的变化。乾隆三十年(1765年),方观承发现永定河的苇地已形成高滩,便请求皇帝下诏改种低杆作物,官府按时收缴租税。他的做法,既为贫困农民提供了耕地,有利于河岸的水土保持,同时也对增加政府的财政收入和促进经济发展有着很大的

帮助。

方观承任直隶总督达20年之久。20年间一直都十分重视治水，兴修水利。在此基础之上，方观承请赵一清、戴震编辑了《直隶河渠书》，共计130余卷。方观承还注重农业生产的发展，乾隆三十年，绘制《棉花图》(又名《木棉图说》)16幅进呈乾隆，系统地说明棉花从种植到制成棉布的过程，总结了每个生产程序的生产经验，并在当地推行。除此之外，方观承还是一位对我国古代教育颇有见解的人。他曾于乾隆二十年(1755年)随清廷官员前往西北巡边，路经宣化府时，应当地知府、知县的邀请，为其刚修建成的书院书写校名并撰写了《柳川书院碑记》，该碑记指出了教育要遵循因材施教和循序渐进的原则，阐明了兴建书院的必要性，并且告诫教育者和被教育者都不能违背原则，不能存有好高骛远的想法。

1768年，方观承病卒，谥“恪敏”。他一生献身水利事业，促进了清代水利事业的发展。方观承著述颇丰，有《宜田汇稿》、《述本堂集》、《述本堂诗续集》、《薇香集》、《燕香集》、《问亭集》，另与秦惠田同撰《五礼通考》。

68. 裘曰修

——十年奔波勤治水

裘曰修(1712—1773 年),字叔度,一字曼士,号诺皋,江西新建人。乾隆四年(1739 年)进士。乾隆二十二年(1757 年)受命勘视河道,从此与水利结下了不解之缘。他一生功绩主要在于治水,并因治水得到高度评价和赞誉。

乾隆二十二年,由于"河履绝山东、河南、安徽境,积水久不去",皇帝命裘曰修会同三个省巡抚,"划疏浚之策"。裘曰修奉诏后,不畏跋涉劳苦,实地察看,奔波在六个省境内。他曾先后三次到河南,两次下江南,四次返直隶,八次沿河步行视察黄、淝、洛、沁等水,从而掌握了河道水情,并针对问题的症结,制定出行之有效的治理方案。他针对安徽水患源于河道淤塞、宣泄不畅的原因,对水流进行了彻底的疏浚。对山东诸水,裘曰修主张以兖州为要,疏浚筑坝。对于河南的积水治理,他则建议"导支流入干河,或多做沟渠"。乾隆皇帝认为他的建议非常符合时宜,立命及时修筑。翌年,各处水患都得到了很好的治理,乾隆皇帝还作诗褒赞他。

此后,裘曰修便经常奉命治水。乾隆二十五年(1760 年),他疏浚了京都至通州间 40 余里的运河,不仅便利了漕运,又使所用经费节省过半;乾隆二十六年七月,黄河决口于杨桥(今河南中牟西北),他采取先求堵御,次筹疏泄归槽,至灾区宜先行抚恤的政策,出色完成了堵复工程,乾隆皇帝特赐中州治河碑,并评价他治水的特点是:不惜工,不爱帑(音 tǎng,财帛,这里指工

程经费），不劳民，水用泄，土计方，上源下游，以次（即按照一定的次序）就治。二十八年，他奉诏督办直隶水利，同年九月，他在请假返籍途中，筹划了睢河水利，提出了“蓄清冲淤”，即厚蓄清水、以刷淤泥的治水方略。三十六年，他亲往沧州勘查运河，改低坝基杀水势，疏下流引河，裁曲就直，以顺水性。三十七年，又奉命督浚永定、北运诸河，严禁近水居民与水争地，盲目围垦。他十余年如一日，为治水而奔波操劳。

裘曰修之所以在治水方面取得如此大的成就，与他善于总结经验、注重科学技术不无关系。在他十余年的治水经历中，除有几十篇关于治水的奏疏外，还撰写了《治水论》与《治河策》两部专著。他主张疏浚兼施，分水与挖沟并举。他认为“治河不外疏筑二字，而筑不如疏”，“治河之道，挑浚为要”，“要倾之自然导之，不与水争地”。他在强调治水要有全局观念的同时，还特别注重工程的质量和管理，严惩以少充多、以劣代优。在施工中，他亲自稽查考核，严格建立材料发放制度，扭转了以往经常停工待料而贻误工时的被动局面，保证了工程的正常进行。

乾隆三十八年（1773 年）五月，裘曰修因患噎症病危，皇帝屡遣使存问，并令御医诊视。裘曰修病逝后，又遣专使致祭。裘曰修去世的消息传开后，过去曾追随他治水的官吏士卒和受过他治水恩惠的黎民百姓都非常哀恸。出殡那一日，赶来送葬的人很多，交通都堵塞了。如此哀荣，可见裘曰修在治水方面所取得的巨大成就。

69. 庄有恭

——清波可活河辙鳞

庄有恭(1713—1767 年),字容可,号滋圃,番禺(今属广州)人。乾隆四年(1739 年),被钦点为状元。庄有恭勤政爱民,自 1752 年出任江苏巡抚开始,白天会见官员,晚上批改文书,常至深夜,可谓殚精竭虑。庄有恭还是一位非常难得的治水人才,他为官大部分时间基本都是在与水打交道,江浙地区很多海塘都留下了他的足迹。

乾隆十七年(1752 年),庄有恭任两江总督,主管江苏、江西、安徽三省军、政事务。乾隆非常重视水利建设,认为江浙地区是全国的财赋重心,海塘工程为杭、嘉、湖、苏、松、常、镇七郡老百姓生存和生活的保障。当时在任的庄有恭,自然把兴修海塘作为其工作的中心内容之一。他上书皇帝借库银 1.6 万两,修筑太仓、镇洋海堤,为当地人民消除潮灾水患。

1759 年,庄有恭调往浙江任巡抚,上任伊始便考察了浙江水利。他发现绍兴宋家楼为三江、二水交会处,又是海潮上涨的要冲,急需将海塘改为堤坝,便上书提出治水、设防、兴修水利的建议。朝廷应允后,庄有恭组织百姓修建和修补了一批堤坝。此后,庄有恭又完成了海宁筑塘工程,去除了乾隆皇帝的一块心病,乾隆遂认为他"甚属尽心,深可嘉予",议加一级,调江苏巡抚,加太子少保。但浙江海塘工程十分紧要,"庄有恭筹办甚为尽心",所以浙江塘工、赈务,"仍听庄有恭专司其事"。

1762 年秋,太湖水涨,很久不退。庄有恭前去勘察,发现河道多淤塞,于

是请修三江（即吴淞江、娄江、东江，为太湖水分泄的主要水道）水利，疏浚太湖。在水利建设过程中，他力图避免因兴修水利而给百姓增加负担，在上奏中多次"恳发帑（音 tǎng，财帛，这里是指工程经费）兴工，仍于各州县分年按亩征还，则民力既纾，工可速集"。他分工明确，强调水利建设要一鼓作气，"若陆续兴修，又恐工程及半，遇伏秋大汛，不能抗拒，仍弃前功"。他还认真汲取前人经验，如积极应用明代创造和发展的纵横叠砌法的鱼鳞大石塘，"照鱼鳞作法，逐层整砌"。由于组织得当，施工迅速有序，工程超前完工。乾隆大喜，御驾南巡，考察河务。当时还发生了一件趣事：乾隆到江南后迷恋于江南美景，疏忽了河务之事。庄委婉进谏，乾隆说了"上、下、轻、重、缓、急"六字故意为难庄有恭，没想到庄有恭略一思考，泰然道："君为上，臣为下，官为轻，民为重，享乐缓，河务急。"乾隆极为称赞，立即和庄有恭启程去查访河务。

乾隆三十二年（1767 年），庄有恭病逝于福建任上。清代著名学者钱大昕在庄有恭的墓志铭中盛赞其治水功绩："水旱拯恤无因循，清波可活河辙鳞。筑塘捍海上石坚，或编竹络楗（音 jiàn，河工以埽料所筑之柱桩）茭（音 jiāo，用竹篾、苇片编成的缆索）薪。"其治水政绩至今仍为人称道。有人为了纪念这位为民造福的状元，写了一幅对子："上千言书拨万两银，为苍生请命；下镇波石破万里浪，救民于苦海。"

70. 郭大昌

——一心治水写传奇

郭大昌(1742—1815 年),字禹修,江苏山阳(今淮安)人,乾隆、嘉庆年间河工,精通堤坝工程,是黄、淮、运治理中的一位传奇性人物。郭大昌出身贫民,秉性刚正不阿,不与贪污成风的河道官员同流合污,深得百姓爱戴,被亲切地称为“老坝工”。

1758 年,十六岁的郭大昌亲眼目睹了百姓因黄河决口而流离失所的惨状,立志做一名与黄河作斗争的治河工。后经人帮忙,进入河库道任贴书。他勤奋好学,很快掌握了工程计算的财务收支业务,又十分熟悉河道水势情况,备受河库道器重。当时黄、淮两河正值多事之秋,河道署遂提拔他为助理河工。他坚持节省工费开支,不徇私情,遭到其他河官的排挤,一直不受重用。郭大昌还将自己的治河经验传授给好友包世臣,并与其多次考察河道情形。郭大昌的生平事迹,全因包世臣所著的《中衢一勺》一书而被后人知晓。

乾隆年间,黄河形势恶化,堵口工程剧增,工程费用耗资巨大,官吏舞弊成风,百姓苦不堪言。郭大昌因藐视权贵,与南河总督吴嗣爵发生矛盾,便由河道署迁居清江浦五圣庙居住。时隔不久,黄河在南岸老坝口(今淮阴市东北 5 里)决口。一夜之间,淮安、宝应、高邮、扬州四地洪水四溢,无数人畜田园化为乌有,哭声震天,景象惨不忍睹。这时又值钦差大臣前来视察,总督吴嗣爵唯恐丢官,惶惶不可终日。无奈之下,登门造访,请郭大昌主持堵口。郭大昌为百姓着想,不计前嫌,问吴有何想法。吴说:“圣上给银五十万

两，限期五十天。”郭大昌回答：“如此，请总督大人另请高明，吾不敢受命。”吴一听急了：“工程虽大，然五十万两工费亦不少，五十天工期亦不为快，再晚，吾担待不起啊！”郭说：“如大人决意要在下堵口，工期二十天，工费十万两足矣。但需文官武职各一，其余官员不得进场，工料需随调随到，可否？”吴连忙应允，索性连图章都交给了郭大昌，且命令库房：“凡郭公批文，但发无妨。”郭大昌果然践诺，如期完工，使黄河水复回故道，创造了黄河堵口的奇迹。同时，他还用自己的聪明才智，揭露了官吏腐败无能的丑恶嘴脸，黄河两岸人民纷纷称赞他是“智勇双全的老河工”。

嘉庆十六年（1811年），郭大昌借两江总督找包世臣议事的机会为民请愿，坚持加长盖坝以助湖水入黄、筑下游长堤以畅河道的方案。包世臣最终说服了两江总督，使其接受了郭大昌的建议。工程结束后，黄、淮、运等河一度出现了畅通的局面。

嘉庆十八年（1813年），郭大昌与包世臣最后一次巡视清口以下的大堤，仍对多开减坝、分泄黄河等事项忧心忡忡。他嘱托包世臣：“今后在官员面前，一定要多多进言，杜绝这一隐患。”两年后，郭大昌因风痹症辞世，享年74岁。

郭大昌的一生虽不得志，但他凭借着藐视权贵，敢于坚持正义，不怕吃苦、真干实干的精神，在百姓心中树立了很高的威望，百姓甚至传说他是仙人下凡。据《中衢一勺》记载，仅包世臣亲见的郭大昌牌位就有二三十处之多，可见百姓对他的爱戴和怀念之情。

71. 栗毓美

——治理黄河“栗大王”

栗毓美(1778—1840年),字含辉,又字友梅,号朴园,山西浑源州(今山西浑源县)人。道光十五年(1835年)任河东(今河南、山东)河道总督。他是一代廉吏,又是一位勇于革新的治河专家,为我国古代水利事业作出过杰出贡献。民间传说中曾有“栗大王”的称谓,是人们对水神的一种敬畏称呼,而这一称谓实际上正是源自善于治水的栗毓美。在黄泛区宁陵县,至今保存着一座始建于清道光年间的栗大王庙。

当时黄河下游河道两岸滩地遍布,河南河段河宽滩广,每遇秋汛,洪水漫滩,冲滩成沟,分流成河,冲刷大堤,造成决口。栗毓美到任时,宁陵正遭黄河水患。面对汹涌的洪水,栗毓美脱下官袍,冒着生命危险亲自到决口处查看险情,并带领全县人民用杉木杆穿铁锅一举堵住了黄河决口。河水过后,他一面上书朝廷请求免征杂税皇粮,一面组织群众疏通河道,整修农田,使百姓的生产生活很快得到了恢复与发展。

栗毓美在宁陵任职近三年,体察民情,治水有方。曾经多次乘小船考察大河南北两岸,每次行程40多里,并深入群众中了解治黄的症结及经验,创造了“以砖代埽,抛砖筑坝”的治黄方法,不仅有效地防治了水患,且每年可节约皇银三万两。他还发现北岸串沟积水很深,并且与沁河、武陟、荥泽诸滩的积水汇合一起,倾注堤下。堤下又没有任何防护工程,石堤南北全

是水，无法取土筑坝。于是，栗毓美采取“抛砖筑坝”的方法，从老百姓那里买来一大批砖块，并组织他们向河里抛砖，建成数十个“砖坝”。“砖坝”筑成后，恰逢风雨大作，凡是支流小河，大都决口数十丈，大堤却安然无事。在栗毓美心中时时有一张治水图，他对河道的曲直高低，河水的宽窄深浅、流速的快慢等都了如指掌。每逢风雨即将到来，他便立即到达险地。一旦水患发生，他亲自指挥抢险，将水患降伏，因此很受当地人民爱戴。在他任职期间，河东一带很少发生水灾。

但办好事往往也会引来坏结果。栗毓美在河东河道总督任上，兢兢业业，成绩斐然。但因为他所创造的治河用砖之法，触犯了一些企图拿国家治黄款中饱私囊的地方恶势力和权贵的利益，被人诬陷。他备受打击，后积郁成疾，于道光二十年(1840 年)二月去世，享年 62 岁。关于栗毓美之死有三种说法:正史说他死于任上住所;河南一带说栗毓美见河水猛涨，以身投河，河水之势遂减;还有一种说法是那些恨栗毓美的人始终不放过他，为了不连累家人，他吞金而亡。究竟哪种说法是真的，已无从考证。

栗毓美死后，河南民众千里挥泪护灵并为他修建庙宇。每逢水患，便去祭祀。道光皇帝特地为他修建了一座陵墓，晋赠太子太保，谥号“恭勤”。道光皇帝和栗毓美生前好友林则徐都为他写了祭文，如今，这两篇祭文碑刻都保存良好。栗毓美墓被当地人称为“栗家坟”，当地人民都亲切地称呼栗毓美为栗大人，每逢清明时节，祭祀游人甚多。

72. 陶澍

——度领江淮系水利

陶澍(音shù)(1779—1839年),字子霖,号云汀,湖南安化人。他在资江边的农村长大,对水旱灾害有着深切感受。嘉庆七年(1802年)中进士,曾历任安徽、江苏两地巡抚,官至两江总督。

道光三年(1823年),时任安徽巡抚的陶澍目睹长江大水造成的灾害,深感兴修水利是攸关安徽百姓的大事。遂进行深入调查,掌握资料,做出治水规划。道光五年,陶澍向道光皇帝上奏治水方案,主张提高洪泽湖的蓄水量,在淮河两岸筑堤束水,并提出了"民办官助"的办法。得到批准后,陶澍便组织人力、物力、财力大兴水利。他还通过一系列的褒奖措施,大大调动了各地吏民兴修水利的积极性。

同年五月,陶澍调任江河要区江苏。经过调查,他总结出吴淞江区域水灾频发的原因,并制定了具体解决方案。获得允许后,陶澍会同两江总督筹议策略,他们仔细勘察并筹划资金。陶澍亲历亲为,严谨认真。道光八年,吴淞江工程竣工,陶澍乘船亲赴工地验收。"震泽下游诸水可以宣泄,使由渎直达,决曲岸两千余丈,泥沙无所壅,可耕者逐多。"沿途百姓甚为称赞。当晚,对工程十分满意的陶澍心情激动,难以入眠,诗兴大发,挥笔写下:"今朝开坝息畚(běn)锸(chā)(畚,盛土器;锸,起土器。泛指挖运泥土的用具,

亦借指土建之事)，万人邪(音 yé)许(邪许是劳动时的号子声)闻欢呼。涛头一线立海色，恬有静绿先平铺。樯帆乘风行客乐，鱼龙得意争归墟。推波助澜势未已，且喜百年民患除。”诗中还总结了治水经验:“岂知江潮在天地，本若元气相传输。一呼一吸荡胃肠，焉有塞口防沾濡(音 rú，沾濡意为浸湿)。本源不裕闸何益，刻舟颇笑前人愚。”此诗传出后，吴中竞相和者达数百人。

陶澍完成吴淞水利工程后，治水经验愈益丰富，这更坚定了他为民造福的决心。道光九年(1829 年)，他又主持兴办了练湖工程。练湖主要供运河调剂水量之用，但由于上游湖改民田开垦只剩下 40 里，不能济运。陶澍勘察后，提出筑堤修闸的修浚方法。工程经过三个月完成，黄金闸长五十一丈二尺，高一丈八尺六寸，达到设计要求。

道光十二年，陶澍同江苏巡抚林则徐奏请“浚浏河、白茆河”。次年三月，陶澍治理两河。工程完工后，适当七月，苏淞一带倾盆大雨，处处盛涨，洪水拍岸盈堤。他当即分令太仓、镇洋两州县，涵洞全启，顷时，滔滔洪水东注，两日消水二尺有余，而秋汛大潮，仍无倒灌，取得巨大成效。当年，百姓喜获丰收，父老皆欢。

1839 年 6 月，陶澍积劳成疾，病逝于金陵两江督署。赠太子太保衔，谥“文毅”，世称陶文毅公。陶澍从政 40 余年，在抗灾救灾、兴修水利、治理漕运、倡办海运、整顿治安等方面都作出了重要贡献，且在书画诗文方面，造诣颇深。但凡他为官之地方，都流传着不少关于他的故事，淮剧中即有《陶澍私访南京》的传统保留剧目。

73. 冯道立

——专攻水利撰宏著

冯道立(1782—1860年),字务堂,号西园,江苏东台人,清代著名水利专家。冯道立从小目睹江淮人民饱受洪灾威胁的场景,便立志成为李冰、郭守敬那样的水利家。他在青年时代就绝意仕途,而发愤专攻水利,立志为桑梓造福。

冯道立阅读了大量关于水利的著作,同时又非常注重实际研究。他多次雇船到长江、淮河、废黄河、白马湖、高宝湖、洪泽湖以及范公堤等地区进行实地勘察,深入到田间地头河边湖畔,访问当地的农夫、渔民,从而获得第一手的资料。访问之后,他又查阅有关水利、水文的资料,描绘了数以百计的水利图。为了勘察水系,他曾三年未归,这种忘我工作的精神感动了百姓,得到了百姓的高度赞誉。清道光十五年(1835年),天气非常炎热,东台等地河道干涸了好几个月,由于无水可导,很多人都反对在这时疏浚盐河,冯道立却坚持己见。他请泰州盐运判朱沆(音 hàng)"限令6天竣工,一切赏赐从厚"。他不辞辛劳,在骄阳下指挥施工,与工人同吃同住。竣工后,恰逢大雨,上河坝一开启,水自然从盐河排出,下游的农田无一受淹,船只往来,都觉得十分方便,老百姓皆佩服冯道立有远见,办事果断而有魄力。冯道立还参加过淮、扬两府的大中型水利工程,往返奔波筹划,常常过家门而不入,乡亲们赞扬他治水有"大禹之风"。

冯道立好学不倦,一生著作甚多。已刻著作6种,未刻著作36种。水利方面的专著有《淮扬水利图说》、《淮扬治水论》、《测海蠡言》、《勘海日记》、《束水刍言》、《七府水利全图》、《东洋人海图》、《东洋海口图》、《攻沙八法》等。其中,《测海蠡言》共分五十二目,后附《攻沙八法》,集几十年治水经验

之大成，很有实用价值。《淮扬水利图说》在他的水利著作中也非常有代表性。该著内有水利图8幅：《淮扬水利全图》、《淮黄交汇入海图》、《御坝常闭水不归黄沿江分泄图》、《漕堤放坝下河筑堤束水归海图》、《漕堤放坝水不归海汪洋一片图》、《东台水利来源图》、《东台水利去路图》、《东台杨堤加高图》。每一幅"图说"，都提出了令人信服的规划。一套套治水方案，针对性和首创性极强，具有重大意义。另外，在《淮扬治水论》中，他概括出"治水之道，不出'疏'、'畅'、'浚'、'束'四法"。解放后，人民政府动员几十万民工开挖的苏北灌溉总渠，即参照此四法，真正实现了冯道立长堤束水入海、永免洪涝的理想。

冯道立一生爱国爱民，专心研究水利，为百姓造福，数次参加苏北治水工程，对江淮一带的水利事业作出了重大贡献。他刻苦顽强、谦逊好学、不求仕进、不慕荣利，献身水利理论研究，为百姓忘我劳动、矢志不渝的精神，值得今天的人们敬仰和学习。

肆

近 现 代

74. 林则徐

——民族英雄善治水

林则徐（1785—1850 年），字元抚，一字少穆，福建侯官（今福州）人。提起林则徐，人们很自然地会把他和禁烟运动、抗英斗争等历史伟绩联系起来。其实，这位名震中外的民族英雄同时还是一位功勋卓著的治水名臣。在近 40 年的宦海生涯中，他历官 13 省，从北方的海河到南方的珠江，从东南的太湖流域到西北边陲的新疆伊犁，都留下了他治水的足迹。其间，无论是加封受赏，还是因陷谪戍，林则徐始终没有放弃兴修水利，发展农业生产。

早在翰林院任职期间，林则徐就十分注意探求水利问题。在他撰写的《北直水利书》中，他提出了诸如防重于治、保持水土等一系列至今仍有借鉴意义的水利思想。后来，他将此书改编为《畿辅水利议》，丰富了我国的水利科学理论，是清代重要的水利专著。

嘉庆二十五年（1820 年）二月，他受命江南道监察御史巡视州县，严查、严惩水利工地上各种营私舞弊的现象。大小官员，无不称颂林则徐督查认真、政纪严明。连皇帝也赞扬道："向来河工查堪，从未有如此认真者。"

道光三年（1823 年）五月，江苏全省大雨滂沱，江河横溢，淹没了 30 多个州县。当时，林则徐任江苏按察使，主司法之权。他提出"禁屯积、广劝募、招商贾、赈饥者"等救灾措施，稳定了灾民情绪，缓和了官民之间的矛盾。第

二年，他经过仔细的考察研究，认识到水灾主要是由于太湖洪水出水道的吴淞江、黄浦江、娄江（又名浏河）及白茆（音 máo）河久淤不畅所致。要解决此问题就必须赶在冬春季节修浚三江一河。修浚时数百里河段内人流如潮，万众争先，工程如期完成。1827 年，林则徐复任江宁布政使。因父病逝回家守孝期间，林则徐仍心系水利，将家乡濒于湮塞的西湖水利工程进行整治，恢复灌溉面积 3 000 多顷，百姓无不称赞。

道光二十一年（1841 年），林则徐因虎门销烟而被充军新疆伊犁。林则徐在新疆总共不过三年，却对新疆作出了很大的贡献。他兴修水利，开发屯田，从修渠引水入手，开凿了长 240 里的伊犁河渠。道光二十四年十一月，冰天雪地之时，林则徐带领两个儿子从伊犁上路奔赴南疆开展屯田工作。他们历时一年，往返三万公里，“周历南八城，浚水源，辟沟渠”，“凡垦田六十八万九千七百八十亩”，创造了奇迹。在伊拉里克，他协助少数民族大修沟渠，使高山雪水穿过沙漠，灌溉农田。在吐鲁番盆地，林则徐大力推广坎儿井，使许多久荒的土地变为沃壤。为感念林则徐，当地人民把坎儿井改称为“林公井”，赞誉他“吾乡之伟大人物哉”！并树立碑刻，世代传颂。

道光三十年十月十九日，林则徐因积劳成疾，病情加重，辞世于潮州，终年 66 岁。咸丰帝派员专往致祭，并“优诏赐恤，赠太子太傅，谥‘文忠’”，故世人尊称林文忠公。林则徐一生治水时间之长、投入精力之多、为民谋利之大，都足以让后人为之感佩。

75. 左宗棠

——服官济世先水利

左宗棠(1812—1885年),字季高,又字朴存,湖南湘阴人。一代名臣,晚清政局中举足轻重的封疆大吏,也是晚清重要的思想人物。左宗棠重视经世致用之学,曾在三次会试落第后专心"督工耕作",亲自试种"区田",自称"湘上农人"。同时还进行农事研究,饱读有关水利、荒政、田赋等书籍和历代有关农事的著作,总结前人农事经验,结合自己的农业实践,著成《村存阁农书》(未刊行)。后受举荐进入政坛,建功立业,名垂青史。

水利一直是左宗棠施政的重点之一。左宗棠十分推崇陶澍、林则徐治水兴农的思想,常以陶澍、林则徐的后继者自居。他晚年为陶、林二人合建祠堂时,亲题楹联道:"三吴颂遗爱,鲸浪初平,治水行盐,如公诚不朽;卅载接音尘,鸿泥偶踏,湘间邗上,今我复重来。"表明了效法他们治水的志向。

同治五年(1866年),左宗棠由闽浙总督转任陕甘总督。他经过调查提出治西北者,宜先水利。在陕西,他不仅疏通了荒废的郑白渠,还兴建了不少新的水利工程。他从泾水上源着手,责令开凿一条长200里的渠道,"可得腴壤数百万顷"。在治理过程中,他还提出引水灌溉,多开沟洫的意见。经过几年努力,通过开沟洫、筑坝、安闸等措施,取得了很好的灌溉效益。虽"无郑白之名,而收益去害,其利可久"。在甘肃,他令王德榜开70里长的明

渠，灌田数十万亩。在宁夏，他拨款兴修水利，共有“干渠二十多道，支渠一百四十多道，能灌田八十万多亩”。

在督办新疆军务期间，左宗棠见新疆南北两路“夙号腴区，从未经理”，遂提出改造规划。他指示：“惟修浚沟洫宜分次第，先干而后支，先总而后散，然后修理秩如，事不劳而利易见。”他还提倡兴建坎儿井，并推广到西北各地，仅吐鲁番地区就开井185处。通过凿井，使西北一些水源缺乏、“虽多方疏浚不能供千人百骑一日之需”的地方，也得到了灌溉。左宗棠在西北的14年间，以各种方式修建的大小水利工程不计其数。由此，西北地区“诸废渐举，均欣欣然而生气”。

在发展西北水利时，左宗棠还曾尝试使用新式机器。通过洋务运动的实践，他认为兴修水利也可“购运泰西机器，延至师匠，试行内地”，若“有效则渐推之关外以暨新疆”。1880年，他委托上海买办胡光墉从德国购买了一套开河机器，用于工程建设，并雇了几名德国技师。这是左宗棠第一次把洋务运动延展于民用事业上。

1880年左宗棠调回京城后，又致力于整治永定河及支流桑干河。1881年10月，左宗棠授两江总督兼南洋大臣。他认为“治吴诸策，治水为要”，兴建了朱家山和赤水湖两处最大的水利工程，减轻了水患威胁，发展了灌溉航运之利。

左宗棠为政济世以水利为先。从西北任陕甘总督，至东南任两江总督，前后十几年，一直不间断地在各地督办水利事业，特别是他在西北边疆的水利活动，对开发边疆、巩固边防具有深远的意义。

76. 丁宝桢

——一代名臣治水患

丁宝桢（1820—1886 年），字稚璜，贵州平远州（今织金）人。清代名臣。丁宝桢秉性刚直，曾智杀慈禧太后心腹太监安德海，大快人心。他积极参与洋务运动，1875 年创设山东机器局，还曾兴办学堂，传播近代科学知识，堪称时代先驱。同时，丁宝桢在水利上也作出了重大贡献。

咸丰五年（1855 年），黄河决口，引发河道的一次历史性大变化，严重威胁清王朝南北经济的大动脉——京杭大运河。丁宝桢从国计民生之大计出发，主张堵塞决口，挽河回淮徐故道。但由于种种原因，这一主张未能付诸实施，致使河患日益严重，断续通行 500 余年的京杭大运河北段从此便逐渐废弃了。

同治五年（1866 年）十一月，丁宝桢暂署山东巡抚。他刚一到任，便不顾隆冬严寒到运河段查巡，积极整治危险河段，保障了当地居民的生活与安全。同治十年八月，黄河泛滥，灾情严重。当时正在养病的丁宝桢心急如焚，积极投入到紧张的抗洪救灾中。他看到灾民“栖身无所，糊口无资”，便急奏朝廷运米以赈灾区，杜绝饿殍，实惠饥民。同时，丁宝桢积极开展堵决工作，精心策划施工方案，主持兴工事宜，奖优惩惰。同治皇帝见丁宝桢“勇于任事”，便在资金方面给予大力支持。经过 25 天的昼夜兴筑，堵口工作提前数日完成。原计划用银三十六万两，实际只用了三十二万八千三百五十

二两，所余银两，悉数归还国库。同治皇帝非常高兴，对丁宝桢予以嘉奖。

同治十二年（1873 年）夏秋，黄河在山东再次决口，灾情更为严重，各地调来的河官皆束手无策。在家乡“修墓”的丁宝桢闻讯后，立即赶回。他沿途乘船履勘，酝酿治河蓝图。他根据地质条件，经过反复比较，选择在决口以东采取修筑堤坝、疏导旧河的方法。历时四个月，终于全面完成堵复工程，使黄流归槽，水患消除，百姓无不称赞。

光绪三年（1877 年），时任四川总督的丁宝桢在获悉都江堰水利工程灾害频发的情况后，亲赴视察。只见工程业已淤塞废坏，田园一片荒芜。他总结经验，仔细研究，终于提出了治理方案。工程不到四个月完工，累计施工里程 70 多里，重建了索桥石礅，恢复了道路交通，并在沿江堤岸植树造林。同时，在都江堰管理上还做了一些整顿，限定渠首岁修经费，杜绝了滥支公款的弊端。但因这项措施使得贪官污吏无油水可捞，他们便肆意夸大工程水毁的程度，联名上告弹劾丁宝桢。当年十二月，军机大臣偏听偏信，给丁宝桢连降三级，革职留用处分。

丁宝桢目光长远，他以开放的眼光看世界，兴洋务、办实业，开山东、四川近代工业之先河。他性格耿直，不畏权贵，能够为民办实事；他改革盐政，整治水患，使百姓得福利，堪称一代名臣。

77. 吴大澂

——铁腕河帅兴水利

吴大澂(音 chéng)(1835—1902 年),字清卿,号恒轩,江苏苏州人,后客居上海,著名学者、书画家、金石学家。同时,也是一位治水专家。他的治水故事还被后人传唱并改编成生动的故事。

这个故事发生在光绪十三年八月。郑州十堡(即石桥)黄河决口南泛,危害极为严重,民不聊生。最初由署河南山东河道总督李鹤年和河南巡抚倪文蔚主持黄河的堵口。次年五月,堵口工程失败了。李鹤年等均被革职。七月,吴大澂被皇帝任命为河南山东河道总督,接办堵口的巨大工程。说它巨大,不仅仅是工程规模之大,更因为是工程前期存在太多的问题而使工程难以为继。吴大澂发现河工堵口收发物料时有很多弊端,于是他只身微服,扮成工人混杂在搬运物料的人群中进行私访。吴大澂很快发现了物料短斤少两、克扣工人工资的情况。他没有立刻惩治官吏,而是故意率领工人们与官员争执,争吵中官员想用暴力镇压,就在他们准备对吴大澂实行鞭杖时,吴的随从大喝道:“他是河帅,谁敢动手!”这时慌乱的人群顿时安静了,吴大澂立刻对官员实行了杖责,并带枷在工地示众,以儆效尤。从此,偷工减料、在物料上动手脚的事情便不再发生。

吴大澂对堵口的治理也筹划有方。他推行责任制和铁腕政策,对在工的官吏,分工明确,并严格规定完成的时间和需要达到的效果。他誓言:如依限不能完成者斩,自己也将以身殉职。在治理的整个河段中,他特别重视郑州、中

牟、开封一带。他强调:“中河厅头堡大王庙顶冲之石堤……八堡之人字坝、托头坝(中牟境)……下南厅七堡之顺二坝十九堡之盖坝(开封境)均甚紧要,是防御省城之门户”。他提倡用水泥砌筑砖石坝,加固工程,开创了黄河上使用水泥修建工程之壮举。吴大澂还提出了固滩保堤的治河思想。郑州十堡建成后,因河势南趋,原本的堤身即将被水冲垮。他审时度势,在荥泽八堡(今郑州李西河一带)老滩前,筑了一座新的石坝。石坝修建完工后,在石坝上立了一块石碑,碑文写道:“老滩土坚,遇溜而日塌,塌之不已,堤亦渐圮(音 pǐ,毁坏,坍塌),今我筑坝,保此老滩,滩不去则堤不单,守堤不如守滩。”在治水的过程中,吴大澂对黄河进行了新的测绘,自河南省阌(音 wén)乡县(今灵宝境内)金斗关到山东利津铁门关海口,测量了长达 1 021 公里的河道。第二年制图完工,呈光绪帝浏览,命名为《御览三省黄河全图》。

光绪十八年吴大澂授湖南巡抚。中日甲午战争起,他率湘军出关收复海城,因兵败被革职。

吴大澂的治水思想和治水实践,他对水利工程的严格管理,都给予了后世水利工作者以参考和借鉴。

78. 王同春

——开渠大王垦河套

王同春(1851—1925年),字浚川,河北邢台人。出身贫苦,五岁时染上天花,因无钱医治导致一目失明。七岁时入私塾念书,因无力交学费而辍学。王同春虽不大识字,却长于治水,很早就立志开垦河套,最终在黄河上辟口引水灌溉,把茫茫荒原河套变成旱涝无虞、五谷丰登的肥沃绿洲,被称为"开渠大王"、"水利大家"、"绥西河渠总河神"。

王同春重行善思,在水利技术方面独具禀赋。他开渠天赋的"牛刀小试"是在22岁那年(清同治十三年)。当时一名叫万德园的财主为了引水灌溉,在短鞭子河上修建了渠坝。但自渠坝修好后,短鞭子河的河水渐渐淤塞,新开的河渠慢慢干涸。万德园十分着急,急邀郭大义等四家联合开浚河道。王同春是郭大义家中的开渠工头,他仔细勘察了地形之后说服郭大义:废除短鞭子河上游,开新渠引黄河水注入短鞭子河的下游。他的意见被采纳,并由他一人负责施工。新开的河渠长120余里,灌溉土地1 500余亩,取名"老郭渠"。老郭渠的改建成功,揭开了后套地区水利建设的新篇章,从此,王同春精通水利、善于开渠的名声不胫而走。

郭大义死后,其子郭敏修专横跋扈,不善与人共事。王同春在深思熟虑后决定脱离郭家,另谋出路。光绪六年(1880年),王同春借来白银2 000两,在老郭渠以北租用了一块荒芜的土地,建立了自己的家园,取名"隆兴长"。可是郭敏修蓄意报复,不准王同春引老郭渠的水灌溉。无奈之下,王同春决定自筹资金,组织外来的灾民在黄河上另辟新口,使其流经隆兴长,利用几条天然的壕沟,形成一条新的干渠。历时十年,这条新渠开挖完工,随后,王同春与郭家言归于好,将新渠起名为"义和渠"。从此之后,王同春的财富与

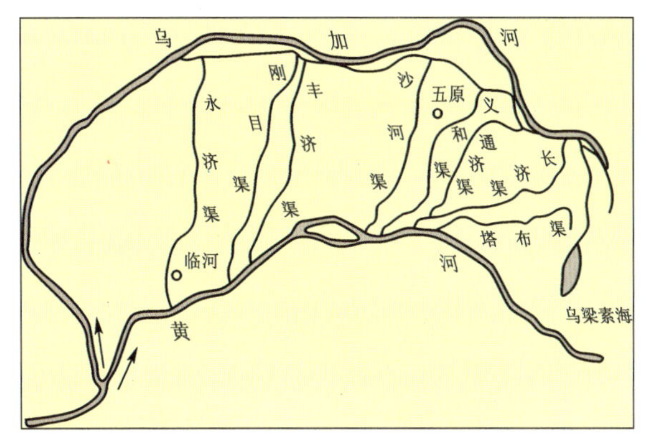

日俱增，他在隆兴长设立商号，经营各类用品。凭借着义和渠，他开辟了“水利促农业，农业助商业，商业兴水利”这样一条崭新的发展之路。到光绪二十八年(1902 年)，王同春成为了后套地区的首富，经他开挖和管理的渠有义和渠、丰济渠、沙河渠及刚目渠五条，占后套地区八大干渠的一半以上，使后套地区呈现出了一派富庶、繁荣的景象。

可是，王同春的黄金时代并不长。20 世纪初期，腐朽无能的清政府因财政的需要，借“放垦”之名，对河套地区已开垦的土地巧取豪夺，王同春被迫将自己名下的渠道及房屋交出。不久又受人迫害，被抓入监狱，直到辛亥革命后才得以恢复人身自由。民国政府对王同春颇为倚重，此时他已届晚年，但仍然为国家的水利事业献策献力。在考察了江淮一带的情况后，他提出了导淮入海的方案。后又赴山西省考察桑干河、广济、广裕、富山等河道，为山西的水利事业发展作出了巨大贡献。直到 1925 年，年逾古稀的王同春还应冯玉祥的邀请带病主持河套的水利工作。六月，在一次野外考察中染疾，病故五原，享年 74 岁。这位出身卑微的“开渠大王”，以其卓越的水利技术，艰苦奋斗，演绎了他人生的传奇。

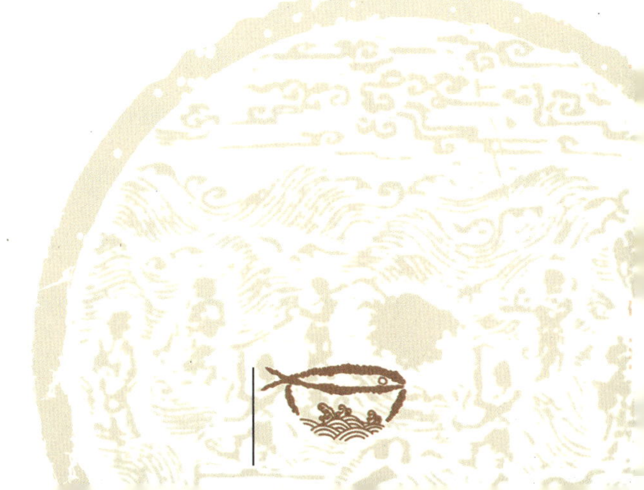

79. 张 

——求国之强重水利

张謇(1853—1926 年),字季直,江苏南通人,我国科举制度下的最后一位状元,清末民初著名的实业家。曾于 1895 年在南通创办大生纱厂,后陆续创办多个实业。他重视实业,重视教育,同样,他也非常重视水利,是一位水利专家、导淮历史上的重要人物。

张謇出生贫苦,他曾自述道,“謇生长田间,习知水旱所关,河渠为重”。年轻时他就认真研读了历代水利名家的治水论著,在其后半生,他几乎把所有的精力都放在了水利事业上,尤其是在治理淮河上,张謇贡献卓越。

淮河本是富庶之地,但在清咸丰五年(1855 年),黄河脱离淮河北去夺大清河入海,黄河夺淮的历史宣告结束,使得治淮、导淮成为可能。张謇十分关注淮河治理问题,曾两次上书,即《淮河疏通入海协议》、《请速治淮书》。1913 年,张謇任北洋军阀政府工商、农林部总长,兼任全国水利局总裁。上任后,他将导淮之事放在工作的中心位置。其时时局动荡,难以靠政府稳定的投入完成治淮计划,于是张謇极力游说,终于与美国使馆签订了借款协定,开始利用外资实施导淮工程。两年后,袁世凯复辟帝制,张謇不满袁的做法辞职南归,美方的借款也随之终止。但是,张謇并没有轻易放弃治淮导淮的计划,他依然呼吁依靠人民的力量,通力合作,完成这项伟大的工程。他发表了《治淮预计书》、《淮南北治水商榷书》。在当时的条件下,张謇的各种导淮方案都没能付诸实施,但张謇的努力为以后导淮委员会的成立作了必要的准备。

除了治理淮河外，张謇还致力于治理长江水患，建设自己的家乡。南通地处长江下游北岸，由于常年江水的冲刷，城市坍岸严重，导致沿江大片的农田房屋被毁。张謇时任南通保坍会会长，他组织召开了一次研讨会，邀请了荷兰、瑞典、英、美、法等国的水利专家前来商讨保坍方案。历经周折，方案定下了，可是没有建设资金。而当时的官僚机构相互推诿，不肯出钱。张謇多次慷慨解囊近四万元，并全力以赴争取多方投资，建设南通保坍工程，修建闸门及涵洞，以确保南通千万亩良田免受水旱灾害的侵袭。

在治理淮河和长江时，张謇已意识到国家需要专门的水利人才。于是，兴办水利教育事业的想法诞生了。1906年，张謇在南通师范设立了测绘科，培养测绘人才；1915年，在江苏高邮创办“江苏省河海工程测绘养成所”。同年，在张謇的倡议下，黄炎培、沈恩孚和张謇一起创办了中国第一所水利高等学府——南京河海工程专门学校，并聘请近代水利先驱李仪祉先生执教。对于所要招收的学生，张謇也有严格的要求：“慎选各省中学完全毕业，长于算术、图画、物理、英语者，试而属之，额以三百人为限，延聘外国工程师为之教习。”1915年3月15日，河海工专正式开学，张謇特意从北京赶来致词，勉励学生要敦行力学，除必须了解河道海港工程和土木机械应用之外，还要注意研究本国的治河历史和地理条件。如今，河海工专已经发展成为一所以工科为主，文、理、经、管等各学科协调发展的全国重点大学——河海大学。

80. 冯玉祥

——爱国将军水利情

冯玉祥(1882—1948年),原名基善,字焕章,祖籍安徽巢县,出生于河北青县的贫苦农民家庭,民国时期著名的爱国将领。冯玉祥除了政治和军事上的功绩,在水利上也颇有作为。

冯玉祥一直奉行"兵工政策",并有效应用于水利建设。民国初年,他在河南看到沃野千里、河流纵横,但由于缺乏有效的治理,"往往有水之害,而无水之利。如黄河、沁河、汝河、沙河等,平日均为害甚巨"。为了有效治理水患,冯玉祥命测量局派数十人归建设厅指挥,分赴各地查勘,详细测量河道的纵横断面、河道形状及流量大小,这样就可以根据不同河道的特点来进行疏浚、筑堤、开闸,进而治理水患并引水灌溉。当时贾鲁河自郑州起,经过中牟、开封、尉氏、扶沟、西华、淮阳等县,达周家口,长约400余里,因年久失修,河道淤塞,每逢夏秋降雨过多,即泛滥为灾。冯玉祥命建设厅派员测量后,从上游郑州向下游各县逐步疏浚,并在沿线架设数十座桥梁以方便行人往来。开封宋门外的惠济河年久淤浅,每逢夏秋汛期经常漫溢横流,庄稼被淹,1922年冯玉祥任河南督军时,进行了疏浚,消除了当地的一大祸患。

冯玉祥一生最大的水利贡献还要数1924年永定河特大洪水抢险。1924年永定河发生了民国时期最大洪水,永定河北岸险情迭出,北京岌岌可危。冯玉祥得知后,"以为此堤一决,则京畿一带数百万生灵,以及无数之财产,势必同归于尽",当即命令手下将领抢险、检查、驻堤督工。冯玉祥每两小时巡视一次，并亲自参加抢险施工。在施工中他肩挑扁担，搬运沙土，每小时搬运沙土量竟达普通士兵的两倍，极大地鼓舞了士气。当时洪峰猛烈，官兵们“不分昼夜，冒雨抢护，拼持数日，得以力障狂澜”。到8月中旬，冯玉祥又加派了两个团抢险救灾。抢险官兵克服了许多难以想像的困难。缺少抢险材料，他们只得自己设法解决；缺少帐篷、饮食，他们也尽量克服。因赶赴抢险时情况紧急，没有准备灶具，“以致兵士渴无水，饥无食，多有饮河中泥水解渴者”，“用冷水和干馍下咽”也是常有的事。冯军吃苦耐劳、不畏艰险、勇于牺牲的精神赢得了人们的尊敬和爱戴。近代著名新闻工作者邵飘萍，称赞冯军抢险的成功是“最与人民国家有关之惊天动地的功业”。洪水过后，当地老百姓为纪念冯玉祥和这次抢险行动，把抢险时修筑的堤称为“冯公堤”。

1946年，冯玉祥以“水利考察专使”的名义出访美国。他参观了著名的田纳西流域管理局，该流域的综合开发和良好的水土保持状况使他深受启发。他提出，中国防治水土流失，必须赶紧在西北的山头、山谷等地筑坝。他强调培养水利人才的重要性，并认为水利是一项长期的任务、艰巨的事业，不是一朝一夕的事情，必须持之以恒地干下去，要有强有力的机构，有人办事，有钱办事。

1948年冯玉祥因轮船失事而不幸遇难。他一生关心水利，热心于水利事业，为各地的水利建设和防治水旱灾害作出了极大贡献。

81. 李仪祉

——现代水利奠基人

李仪祉（1882—1938 年），名协，字仪祉，陕西蒲城县人，我国近代著名的水利家、教育家。李仪祉自幼聪明，精于数学。1909 年留学德国，考入德国皇家工程大学土木科。1913 年回国，两年后重返德国，途中考察了欧洲多国，目睹了欧洲发达水利事业后，深感我国水利之破败不堪和凋敝落后，决心振兴祖国的水利，遂改念柏林但泽大学，专攻水利。

李仪祉又是一位水利教育家。1915 年初，李仪祉学成归国，时值张謇创办南京河海工程专门学校，急缺水力学方面的教师。李仪祉立即前往，张謇任命他为学校教务长。李仪祉在河海任教八年，八年间他负责一切课程设置和教学安排。不仅如此，他还担任包括天文、气象、地质等在内的多门专业的任课老师。李仪祉广泛搜集古今中外的治河书籍、治水名著，以及灌溉、航运、河工建筑等多方面的材料用以编纂教材。同时他还自己制作矿石标本、建筑材料和河工模型。李仪祉注意给学生实践的机会，常常带领学生赴各个河流各处河段实地考察。李仪祉的这些努力，培养了中国第一批掌握近代水利技术的建设人才。

李仪祉不仅是桃李满天下的水利教育家，还是造福百姓的水利实干家。1922 年李仪祉离开河海工专后，担任了陕西省水利局局长，兼渭北水利工程局总工程师。著名的“关中八惠”饮水灌溉工程就是在这段时期内规划的。

由于时局动荡，“关中八惠”之一的引泾工程历经重重磨难，在八年后动工。第二年，一期工程泾惠渠竣工，放水当天李仪祉宣布：“凡种植鸦片的土地，概不灌水，并没收土地充公。”布告一出，使得全灌区内无人种植鸦片。紧接着，洛惠渠、渭惠渠、织女渠和梅惠渠也相继开工。直到他逝世时，这些工程的灌溉面积已达300多万亩。李仪祉以水利造福于民的理想渐渐变成了现实。

李仪祉还是一位承前启后的水利科学家。他是我国传统水利走向现代水利的开拓者，是把西方水利知识系统引入中国，并应用于水利实践的先驱，是我国现代水利科学技术的奠基人。他建立了中国的第一所水利实验室、第一个水工实验所。他倡导理论和实践相结合的研究方法，建立实验室，利用模型进行不同方案的实验，再优选最佳方案。李仪祉在担任黄河水利委员会委员长兼总工程师时，总结我国历代治黄经验，参照西方先进的技术，依据丰富的第一手资料，提出了治理黄河的总体方略和具体措施。他认为“一个水域就是一个有机的整体，要综合治理”。在治理黄河的方针上，他主张上、中、下游并举。这样的思想一改几千年以来单纯着眼于下游的治河思路，把我国的治河方略推上了一个新的台阶。

李仪祉把一生献给了中国的水利事业，弥留之际他仍念念不忘：“切望后起同人，对于江河治导本余之夙志，继续致力以科学方法，逐步探讨其他防灾、航运及水电等……其未尽及尚未着手之水利工程，应竭尽人力、财力，以求短期内逐渐完成。”

82. 施嘉炀

——教科双馨育桃李

施嘉炀(1902—2001年),福建福州人。清华大学教授,水力发电学家、工程教育家。留学美国,获麻省理工学院机械工程硕士、电机工程学士,康奈尔大学土木工程硕士等学位。毕生致力于工程教育,培育了中国数代科学技术人才。曾对三峡水利工程的许多专题进行全面的分析论证,对水电发展规划方面也提出了许多重要建议。

1938年,为开发云南省水力资源,西南联合大学(抗战期间由北平的国立北京大学、国立清华大学和天津的私立南开大学南迁联合办学的学校)工学院先后与当时的资源委员会及云南省经济委员会合作,组织了"云南省水力发电勘测队",由时为工学院院长的施嘉炀负责指导。两年内共勘测云南省境内的金沙江、澜沧江、怒江、南盘江及伊洛瓦底江的26条支流的水力资源,并选择了易于开发的水电站站址。1942年,施嘉炀又受云南省经济委员会的邀请,负责设计与监修腾冲叠水河(3 000千瓦)、大理下关(300千瓦)和喜洲万花溪(200千瓦)等三座小型水电站。

抗战结束后,施嘉炀为清华大学尤其是工学院的建设付出了巨大的劳动。新中国成立后,清华大学增设了水利工程系及其他许多系科,施嘉炀担任水利系的水文及水能利用教研组主任。在教学工作之余,他积极开展科学研究。长江三峡水利工程规模巨大,举世瞩目,施嘉炀出于对水利事业的责任心,曾带领中青年教师来到三峡水库坝址查勘地形,经过调查研究计

算，认为正常蓄水位可定为160米，并建议着重考虑人防安全问题。

1958年，施嘉炀根据中国水资源多半是综合利用的特点，提出在修建水库的同时要考虑其为防洪、发电、灌溉、航运等领域服务，所以应把“水能学”这门课程改变为“水资源综合利用”，这样才能更好地为中国的水利建设服务。20世纪60年代初，施嘉炀仍不辞辛劳地与青年教师一起到安徽省考察治淮工程，到湖北省考察长江防洪与堤防工程，到浙江省考察新安江、富春江等水电站，到广西省考察内河航运工程。通过实地考察，他收集了大量的第一手资料，为编写水资源综合利用教材作了充分的准备。截至1966年共编写了五个分册，约70万字，这是我国自编的第一部水资源综合利用教材。施嘉炀不仅亲自编写，而且亲自讲授，听讲者普遍反映他的讲解深入浅出，条理清晰，易于领会掌握。

20世纪70年代初，施嘉炀已届古稀高龄，但仍坚持和青年教师一起参加各种开门办学活动。他曾先后到张家口、宣化、三门峡水库，山东东明、河南七里营，北京郊区的延庆、平谷、怀柔等县的水库工地，为工农兵学员编写通俗易懂的“水库工程”等讲义，并亲自讲课与辅导。有些边远地区的生活条件较差，他也从不计较。

施嘉炀从事工科教育六十载，在教材建设上贡献卓著；他身体力行，对学生严格要求，桃李满天下；他还是中国水力发电工程学会的创始人。所有这些，都对我国的工程教育和科技发展作出了巨大贡献。

83. 原素欣

——不畏艰险嵌“明珠”

原素欣(1900—1979 年),辽宁省宽甸县人,现代著名水利学家。1923 年毕业于北京大学物理系,3 年后以公费留学生的身份赴美国威斯康辛大学留学,改学土木水利工程,1928 年获工学硕士学位后,又去德国继续深造。

虽然身在海外,原素欣却一直怀着炽热的爱国情感。1931 年日军进攻沈阳,东北三省沦陷。得知此消息后,原素欣毅然放弃学业,回到祖国,参加抗日活动,并于第二年参加抗日同盟军,光荣加入中国共产党。不久后,原素欣被任命为军事指挥,转战于北满、南满、绥远等地。当时我军物资供应不足,在与敌人周旋了数月后,粮饷无着,弹药匮乏。无奈之下,原素欣受党的派遣,赴北平筹款。不料,到北平后即被国民党特务逮捕入狱并押往南京。后多方营救未果,几经周折,最终在张学良的书面担保之下得以获释。出狱后,原素欣被调往焦作工学院任教。至此,他的戎马生涯结束,但这短短几年的经历却已磨炼出他超乎常人的不畏艰险的品质。这样的品质,促成了中国第一座现代土石坝工程——鸳鸯池水库的建成。

鸳鸯池水库修建在黑河一级支流讨赖河的下游。原先这里冬天水白流,夏季贵如油。上游截,下游争,纠纷时起,械斗不断。早在明代,就陆续有人在这里修建水利工程,但都未能根本解决问题。为了蓄讨赖河、洪水河冬春余水并调节夏季水,1942 年,国家正式筹划建设鸳鸯池水库,原素欣被聘任为鸳鸯池水库主任兼副总工程师。他带领着刚从中央大学水利系、西南联大及武汉大学土木系毕业的十几位技术人员进行勘测、设计、施工。1942 年,正是抗日战争时期,环境动荡,条件艰苦,经费短缺,物资匮乏,又地处边远地区,技术装备十分落后。修坝要对坝基进行勘探,没有钻机,他们

就向玉门油矿借油田的钻机；没有实验室进行实验，他们就找来飞机运送土料到重庆中央水利实验处进行实验；当地的小厂只能铸铜不能铸铁，就制造了铸铜羊足碾；没有大马力拖拉机，就用 8 匹马拉羊足碾碾压心墙土料，用硬木衬垫角钢铺设轻轨铁道；在兰州制造了串滚闸门和卷扬机；没有电，就用汽车轮毂带动抽水机进行基坑抽水……当时原素欣带领着年轻人创造性地克服了一切技术难关，历时五年，鸳鸯池水库终于在 1947 年建成，犹如一颗璀璨的明珠镶嵌于西北大漠。到今天为止，它已经顺利运行 60 多年，现在的鸳鸯池水库作为一座以蓄水、灌溉为主，兼有防洪、发电、养殖、旅游等综合效益的水库，发挥着巨大的作用。

原素欣将自己的一生献给了中国水利事业，并做了许多开拓性的工作。1935 年，他到国立中央大学土木系任教授，后来组织筹建了中央大学水利系，是该校水利系的创始人之一。解放后，他担任过水利部门的多种重要职务，竭智尽力，为新中国的水利事业作出了巨大贡献。

84. 严恺

——一代名家"严"治水

严恺(1912—2006年),出生于天津,祖籍福建闽侯。水利和海岸工程专家,中国科学院院士、中国工程院院士。1929年考入交通大学唐山工学院,1938年获荷兰德尔夫特科技大学工程师学位后回国。

20世纪40年代,严恺参与了钱塘江海塘工程的设计工作,他首创了国内一种斜坡式海塘,以替代传统的岸壁式直墙海塘。这样的海塘抗浪挡潮效果好,至今依然屹立于杭州湾北岸。20世纪50年代初,严恺被任命为塘沽新港建港委员会委员,参加塘沽新港(后称天津新港)的修复和扩建的指导工作。1958年又主持了国家重点科研项目——"天津新港回淤研究"。20世纪80年代初,严恺担任全国海岸带和海涂资源综合调查技术指导小组组长,对我国长达18 000公里的海岸带进行了多学科综合调查研究。无论是天高气爽、风和日丽时的各项数据,还是风狂雨骤、惊涛拍岸时的各类资料,严恺一行人都要完整准确地记载、收集。严恺身先士卒,指导了十多个专业组,历时8年,终于完成了此项任务,为开发和研究我国海岸带和海涂资源提供了重要的科学依据。这项研究成果被评为1992年度国家科学技术进步一等奖。

严恺的一生与长江结下了不解之缘。20世纪60年代初,他被任命为长

江口整治研究领导小组组长，负责研究长江口航道改善问题，并参加上海港扩建工程的技术指导工作。70 年代初，严恺作为技术顾问参加了葛洲坝水利工程的建设。1973 年，为解决葛洲坝水利工程中的复杂难题，根据周恩来总理指示，他率中国水利考察组到美国进行了为期八周的技术考察，为工程续建收集了充分的科技资料。在葛洲坝工程建设完成之后，严恺又参加了举世瞩目的长江三峡大型水利枢纽工程的可行性论证工作，他主张三峡大坝应该尽早上马，这将对我国经济建设具有非常重要的意义。1994 年 12 月 14 日，三峡工程正式开工，严恺应邀出席了隆重的开工典礼，并被聘为中国长江三峡工程开发总公司技术委员会顾问。

除了具体的治水实践外，严恺还十分注重水利教育和水利人才的培养。1952 年，他受命创办华东水利学院（河海大学的前身），后来为学校提出了“十六字”校训，即“艰苦朴素，实事求是，严格要求，勇于探索”。

正如著名水利水电专家钱正英院士为《严恺传》作序时所说：“他姓严，确实是严字当头，严于律己，严于治学，身体力行地实践‘十六字校训’。一丝不苟地求学问，一丝不苟地工作，一丝不苟地做人，几十年如一日，他不仅为河海大学，也为水利界树立了一个光辉榜样。”1986 年荷兰耗资几十亿美元建成的东斯赫耳特防风暴潮大闸，被称为“水上长城，人间奇迹”。这项工程的 10 个巨型闸墩分别以世界上著名的科学家命名，其中有一个就被命名为“严恺”，以表彰这位贡献卓越的水利和海岸工程专家。

85. 张光斗

——胸藏宏图治江河

张光斗(1912—),江苏常熟人,水利水电工程专家,中国科学院、中国工程院两院院士。1934年毕业于上海交通大学,1936年、1937年分别获得美国加州大学和哈佛大学土木工程硕士学位。抗战爆发后弃学回国。此后一心扑在国家的水利建设事业上。

20世纪30年代末、40年代初,张光斗在四川负责设计桃花溪、仙女硐、鲸鱼口等我国首批小型水电站。40年代中期,修建上清渊硐、古田溪等中型水电站。在修建这些水电站的同时,还对三峡、钱塘江、柘(音 zhè)溪、翁江、岷江等八处水电站站址进行勘测工作,收集了大量资料。首次估计出我国蕴藏水能资源为2亿5千万千瓦。50年代初,张光斗负责设计了黄河下游人民胜利渠、北京密云水库等工程。

1973年,张光斗参加了葛洲坝工程设计,他提出:修改枢纽布置,加大二江泄洪闸,以减小大江截流水头;加大左侧电站,利于前期多发电;两岸设船闸,利于静水通航,动水冲沙。这一布置为顺利截流、安全运行创造了条件。他还提出了在砂页岩软弱地基上修建深齿墙混凝土闸坝,为闸坝及护坦下采用抽排减压设施,二江泄水闸新型结构,电站厂房留上游槽适应岩层地应力释放变形,船闸结构等方面的诸多创新性建议。

对于三峡工程,张光斗更是倾注了满腔热情。1943年张光斗赴美考察时,将美国大坝工程权威萨凡奇请到中国。萨凡奇到三峡考察后,建议国民政府修建三峡大坝。张光斗认为当时国力不足，三次上书反对修建。1948年，国民政府资源委员会命令张光斗将有关资料送到台湾，张光斗巧使“掉包计”，将假的资料装了十八箱送到台湾，真的资料装了十八箱留在大陆，这样包括三峡工程在内的大量资料今后就得以派上用场。解放后，张光斗从建设国家的角度考虑，极力支持修建三峡工程，并且从大坝的效益考虑，力陈己见，将大坝设计高度定在185米。作为三峡工程质量检查专家组副组长，尽管张光斗年岁已高，但依然事必躬亲，每年都要奔赴三峡数次。

张光斗还参与了渔子溪水电站的设计、丹江口工程贯穿性裂缝的加固设计、隔河岩150米高混凝土拱坝修改设计、荆江分洪闸、官厅水库、大伙房水库、三门峡工程、五强溪水电站、东风水电站、二滩水电站、小浪底工程、龙滩水电站等水利工程的设计。张光斗对枢纽布置、结构设计等，提出了许多创新意见，解决了很多关键技术问题。

张光斗不仅致力于工程设计和研究工作，还倾心于教育教学。从建国起，他一直在清华大学任教。50年代初，他编写了国内较早的《水工结构》教材，出版了《水工建筑物》专著。晚年他还出版了《水工建筑物》上下册和《专门水工建筑物》三部专著。张光斗重视教学，经常走上讲台，以身示范，即使到了耄耋之年仍亲自给学生讲授《水工概论》和《水资源可持续发展》。老教授对教学工作的敬业精神和深入浅出的透彻讲解，使听课的学生无不获益匪浅。

在70年的水利生涯中，张光斗坚持原则，敢讲真话，为了国家建设不辞劳苦，爱国之心日月可鉴；在水利水电技术上他深入钻研，一丝不苟，近年来他多次获国内国外科技奖项，被人誉为“当代李冰”。

86. 钱正英

——与水同行谱春秋

钱正英(1923—)，浙江嘉兴人，著名水利水电专家。

钱正英1939年入上海大同大学土木工程系学习，1942年参加新四军。抗战时曾在淮北解放区参加淮河修堤工程，后曾任苏皖边区政府水利局工程科科长、苏北运河南段工程处副处长。1948年钱正英调任山东省解放区黄河河务局副局长，上任刚一个月，就遇上了黄河凌汛。山东省境内的黄河河段仍在封冻期，但上游的冰此时却已经融化。于是，河水从上游涌来，所形成的冰坝越抬越高，眼看就要涌上河床危及两岸了。此时，要让上游的水流走，只能破开下游堵住河道的冰。钱正英决定在冰上挖窟窿埋炸药，她的果断和勇敢化解了危机。第二年立即组织人力加固黄河河堤，成功抵挡了新中国成立前夕的一次大洪水。

新中国成立后，钱正英曾任华东军政委员会水利部副部长兼治淮委员会工程部副部长、水利部副部长，钱正英任水利部副部长时，才29岁，是新中国历史上最年轻的部长。从1952年至1988年的30多年时间里，钱正英曾任华东水利学院(河海大学的前身)院长，水利部、水利电力部副部长、部长，当选第七、八、九届全国政协副主席。在半个世纪里，她是中国水利建设主要决策人之一，参与了大大小小各类水利工程的建设、主持和研究工作，组织起草了《中华人民共和国水法》、《中华人民共和国水土保持法》，这些法律

的颁布实施使我国的水利工作逐渐走上了规范化、法制化的轨道。

在新中国成立后的许多水利水电工程，如黄河三门峡水利枢纽、刘家峡水电站、长江葛洲坝水利枢纽、汉江丹江口水利枢纽、海滦河水系的密云水库、潘家口水利枢纽等的技术方案决策中，钱正英都起了重要作用。她深入钻研技术关键问题，善于集中专家意见，及时作出判断和决策，同时敢于采用新技术解决工程中的疑难问题。1959年8月，北京大雨，正在施工的密云水库土坝还没有达到防洪高程，她和专家们研究决定，敞开导流洞闸门，并开挖了一条临时溢洪道，终于使洪水顺利通过，保证了大坝的安全。1971年10月，葛洲坝工程在开工后遇到了挫折，被迫停工，需重新修改设计。钱正英作为技术委员会的重要成员，深入调查，抓住主要问题，组织专家攻关，终于解决了航道泥沙淤积、大江截流、软基处理、大流量耗能等一系列难题，成功修改了方案，使工程得以顺利完成。20世纪80年代，钱正英还负责了三峡大坝的论证工作，她组织了全国400余位各领域的专家，进行了历时三年的深入论证，为三峡工程在全国人民代表大会上的通过和顺利施工奠定了基础。

钱正英在水利行政领导工作岗位卸任后，从事水利发展的宏观研究和实践经验的总结工作，继续在中国江河治理和水资源开发利用工作中发挥作用。她一直关注水利人才的培养，常到河海大学指导。1997年，钱正英当选为中国工程院院士，2004年香港大学授予她荣誉博士学位。

87. 潘家铮

——两大工程引为豪

潘家铮（1927— ），浙江绍兴人，水工结构和水电建设专家。中国科学院院士、中国工程院院士，电力工业部技术顾问，中国长江三峡工程开发总公司技术委员会主任。潘家铮一直从事水电站设计、开发和研究工作。先后参与、主持、审查和研究过富春江、乌溪江、龚嘴、乌江渡、东江、风滩、安康、龙羊峡、二滩等大型水利水电建设工作，并在 1989 年荣获“国家设计大师”的称号。在众多的工程中，潘家铮最为自豪的是三门峡水电站和三峡工程。

1956 年，苏联有关方面向中国提交了三门峡水库的初步设计要点，主张为保持水库寿命 50 年以上，正常蓄水位要提高到 360 米，最大下泄量为 6 000 立方米/秒。这样的设计使得库区的范围扩大，淹没损失和移民数量、规模比原计划增加了许多。当时潘家铮坚持认为，三门峡正常蓄水位不应高于 335 米，死水位要低到 300～305 米，汛期不蓄水，只滞洪排沙，枯水期再蓄水供灌溉航运之需。这样的话，只需移民 10 万～15 万人，投资也大大降低。可是，绝大多数专家支持苏方的设计，他们认为修建高坝大库是迫切需要的，特别是考虑到要充分发挥水库综合利用功能（主要指发电）。1958 年，三门峡工程轰轰烈烈地开工了。经过 2 年时间的建设，三门峡工程建成蓄

水，投入运用。然而，谁都没有想到，运行后仅一年多，水库内就猛淤 15.3 亿吨泥沙，并且 94%的来沙都淤在库内，潼关河床高程一下子抬高了 4.31 米，渭河口形成拦门沙。回水和渭河洪水迭加，沿河两岸淹地 25 万亩，5 000 人被水围困。这样下去，西安、咸阳和广阔的关中平原均难保，问题极其严重。1964 年 12 月，国务院召开治黄会议，会上潘家铮提出底孔排沙的方案。改建工程在 1965 年开工，1966 年汛期开始启用。直到 1973 年这些底孔才“重见天日”，投入运行，确实收到了较好效果：潼关河床高程下刷了近 2 米，330 米以下的库容增加了 10 亿立方米，一批低水头径流发电机组投产发电。

潘家铮投入精力最多的还是三峡工程。1985 年，三峡工程论证领导小组成立，潘家铮担任领导小组副组长和技术负责人。1993 年，三峡开发工程总公司成立，工程进入实施阶段，潘家铮又担任技术委员会主任，负责对设计的审查。到了 2003 年，在他担任质量检查专家组组长之后，他认为“运动员与裁判员不能兼于一身”，便主动辞去了技术委员会主任一职，专心于工程质量的监督检查工作。

潘家铮院士学术渊博，著述等身。20 世纪 50、60 年代就出版了《水工结构应力分析丛书》、《重力坝的弹性理论计算》、《重力坝的设计与计算》等专著。70—80 年代出版了《建筑物的抗滑稳定与滑坡分析》、《水工结构分析文集》、《重力坝设计》，主编了《水工建筑物设计丛书》、《水利水电工程软件包》、《水工结构分析及计算机应用》等专著，为中国水利事业作出了杰出贡献。

伍

国 外

88. 达西，H. -P. -G.

——达西定律发现者

达西，H. -P. -G.（Henri-Philibert-Gaspard Darcy，1803—1858 年），生于法国第戎市，法国水利工程师。1823 年毕业于工业专科学校，后在第戎市工程局任技术员。1828 年被任命为工程师。1830 年开始负责第戎市引水工程的规划设计。1838 年担任科多尔地区主任工程师，领导并参与巴黎至里昂铁路工程的规划设计和建设，1848 年 3 月离职，当年 6 月被任命为巴黎市工程局局长，1850 年任技术监察。他一生曾负责过运河、铁路、公路、桥梁、隧洞等各种土木工程的设计与建设工作。

达西在水力学方面最重要的贡献是发现并总结出了达西定律。法国在 1845 年以后，由于工业迅速发展，用水量急剧增加，开挖深井抽取地下水很盛行，这就促进了地下水的研究。1823 年他在巴黎完成学业后回到第戎市从事城市供水系统设计和建设工作，任桥梁和公路检察长。在职期间，达西着重研究了冲积层中地下水的运动机理。在供水的试验中他首次发现管道水流阻力与管道壁的粗糙度有关。在采用砂子过滤的方法净化水质的试验中，他把砂装入内径为 0.35 米、高为 2.5 米的垂直圆筒内，让自来水从上向下渗过砂柱，测定流量和上下过水断面的压力水头。用 5 组不同高度的砂柱，经过 35 次试验，终于建立了水在均质孔隙介质中的渗透公式，国际上将此项渗透规律命名为达西定律，为以后水在土中运动的试验研究方法、地下水运动理论、地下水的定量计算及其在不同情况下

的应用奠定了基础。关于上述试验结果的论文《流经砂层水流规律的确定》，于 1856 年在巴黎发表。

达西定律实验装置

1—装砂筒；2—测压管；3—定水头供水容器；4—量筒；5—过滤网

作为水力学的重要发现，达西定律是反映水在岩土孔隙中渗流规律的实验定律。它的确定为水文科学在河道水流、地下水运动、汇流形成和水循环等领域的发展奠定了理论基础，它表明了人类对水文现象的认识由萌芽时期那种肤浅零星的知识，发展到了比较深刻系统的认识，同时也表明人类对地球上水的运动、变化规律系统的探索，已由萌芽时期那种以古代自然哲学为依据的纯粹思辨性猜测，发展到以大量观测事实为基础，进行假说演绎和推理，进而建立各种理论体系的近代科学方法论。

孜孜不倦的达西并没有把脚步停留在伟大的达西定律面前，他继续精心研究，至 1857 年，他发表了关于管道试验结果的论文《管道水流运动的试验研究》，阐述了水流状态在不同管材、尺寸和各种磨损情况下的变化。其中涉及的管材有熟铁管、铅管、铸铁管、涂刷沥青管、玻璃管等，管材直径 12.7～341 毫米不等。他通过计算、研究、总结，最终得出了水流阻力取决于管道类型和内表面的粗糙程度这一结论。这些都是他对水力学的重要贡献。

89. 雷诺,O.

——影响深远雷诺数

雷诺,O.(Osborne Reynolds,1842—1912年),生于北爱尔兰贝尔法斯特,英国力学家、物理学家和工程师。1867年毕业于剑桥大学王后学院,1868年出任曼彻斯特欧文斯学院(以后改名为维多利亚大学)首席工程学教授,1877年当选为皇家学会会员,1888年获皇家勋章。

雷诺成为欧文斯学院的首席工程学教授后,由于欧文斯学院当时没有实验室,他的许多早期试验研究工作大多是在家里进行的。经过数十载的精心试验,他于1883年发表了一篇经典论文——《决定水流为直线或曲线运动的条件以及在平行水槽中的阻力定律的探讨》。这篇论文在实验的基础上把水流分为层流与紊流两种形态,并提出以无量纲数 Re(后称为雷诺数)作为判别两种流态的标准,规定了模型试验中水深和历时的比例关系。他随后于1886年提出轴承的润滑理论,1895年在湍流中引入有关应力的概念,堪称杰出的实验科学家。雷诺兴趣广泛,知识渊博,注重试验,一生著述很多,其中近70篇论文都产生了很深远的影响。这些论文研究的内容包括力学、热力学、电学、航空学、蒸汽机特性等。他的研究成果曾汇编成《雷诺力学和物理学课题论文集》两卷。

雷诺数无疑是流体力学的一个重要常数,它是流体力学中表征粘性影响的相似准数。为纪念雷诺,O.而命名,记作 Re。$Re=\rho vL/U$,其中 ρ、U

为流体密度和粘度，v、L 为流场的特征速度和特征长度。对外流问题，v、L 一般取远前方来流速度和物体主要尺寸（如机翼弦长或圆球直径）；内流问题则取通道内平均流速和通道直径。雷诺数表示作用于流体微团的惯性力与粘性力之比。两个几何相似流场的雷诺数相等，则对应微团的惯性力与粘性力之比相等。雷诺数越小意味着粘性力影响越显著，越大则惯性力影响越显著。雷诺数很小的流动（如润滑膜内的流动），其粘性影响遍及全流场。雷诺数很大的流动（如一般飞行器绕流），其粘性影响仅在物面附近的边界层或尾迹中才是重要的。在涉及粘性影响的流体力学实验中，雷诺数是主要的相似准数。雷诺数在流体力学对流换热理论中占据着重要地位：流体流动的理论是对流换热理论的必要前提。

有人评价说："某一个事物或者现象受多个因素的影响，有些正相关，有些负相关，把所有影响因素综合起来变成一种因素，这就是雷诺数的高明之处。"由此可见雷诺对水力学作出的卓越贡献。

90. 恩格斯，H.

——结缘黄河勤试验

恩格斯，H.（Hubert Engels，1854—1945 年），生于德国鲁尔，德国水力学和治河工程专家。1872 年毕业于鲁尔的高等技术学校，1882 年任普鲁士政府技术顾问，1887 年任不伦瑞克卡洛·威廉明工科大学水力学教授，1890 年任德累斯顿工科大学水力学教授。

恩格斯是水利大家，同时，对于中国人民来说，也是一位熟悉的国际友人。他曾经受美国费礼门工程师的委托，在德累斯顿工业大学水工试验室进行过黄河丁坝试验，研究修筑丁坝缩窄河槽的丁坝间距、丁坝与堤岸的夹角以及坝头的形式等，并于试验后写出《黄河丁坝试验简要报告》一文。当时我国在德进修水利的学者郑肇经参加了这次试验。随后，恩格斯受中国政府委托，在慕尼黑大学水工研究所再次对治理黄河进行了河工模型试验。其后又写出《制驭黄河论》一文，主要论述黄河之病不在于堤距过宽，而在于缺乏固定的中水位河槽。该论文于民国十三年夏由郑肇经译成中文。此文中撰述的理论和实践经验对黄河的治理有着深远的影响，并在治理黄河、维护我国黄河流域人民的生命、财产安全方面，作出了杰出的贡献。

恩格斯是水利研究的先驱。1898 年他在德国首创河工实验室，从事河流模型试验，第一次把河流模型引进实验室，方便了研究工作的进行。通过河流模型可以清晰地探明水流的内在机理，确定运动参数和求解一些局部而又比较复杂的水流泥沙问题等，对实际工作中遇见的流态、主流线的变化、岔道分流比、裁弯取直后水面变化等问题有很大帮助，而且方便处理。

通过对模型深入细致的研究，他发表了著名论文《模型试验的发展及其价值》，在国际水利界和河流研究领域引起轰动。1914年恩格斯出版了他的名著《水工学》，其中总结了德国和法国的治河经验。鉴于其在水利学方面的杰出贡献，1906年他成为国际常设航运委员会成员，又于1913年和1918年分别被授予但泽技术大学和慕尼黑大学名誉博士称号，在1921年还被授予萨克森工程和建筑学会名誉会员称号。

91. 弗里曼，J. R.

——水工试验推动者

弗里曼，J. R.（John Ripley Freeman，1855—1933 年），生于美国缅因州，美国土木和机械工程师。1876 年毕业于麻省理工学院土木系。在任波士顿火灾保险公司工程师和特别检查员期间，研究防火设备的改进和标准化工作。1893—1915 年间先后任波士顿土木工程师学会主席、马萨诸塞州查理士河堵截海湾潮汐工程的总工程师、美国机械工程师学会主席、美国土木工程师学会主席。

弗里曼是近代水工试验的代表人物之一，是美国水工试验的奠基人。弗里曼很早就注意到德国及欧洲其他国家的水工试验成就。他积极倡导建立国家级水工试验室，促进美国与欧洲在水工试验方面的学术交流。他说服欧洲一些国家的领导人组织编写了一部《欧洲水工实验室》，于 1926 年在柏林出版德文版。1929 年，弗里曼将该书编译成英文，并从内容上加以扩展，更名为《水工实验操作》（Hydraulic Laboratory Practice），在纽约出版。该书回顾了 19 世纪末至 20 世纪初欧洲水工试验的发展历程，论述了水工试验的重要性。它的出版推进了美国水力学和水工实验的研究。20 世纪 30 年代，美国各大学的水工试验室活动在数量和质量上都有明显的增多和增强。1932 年，弗里曼还说服美国政府，在美国标准局建立了国家级的水工实验室。

弗里曼在水能开发方面做了大量工作。他曾经为加利福尼亚州的费瑟河进行过水能开发规划，为加拿大的艾伯塔省和马尼托巴省以及墨西哥的北方动力公司设计过不少高坝，他还为澳大利亚设计过悉尼大桥，成为著名的悉尼大桥的设计者，现今依然为许多水利工作者推崇。

弗里曼对中国有着特别的情谊，他曾经于 1917—1920 年作为咨询工程师来到中国，进行大运河的改建和黄河、海河防洪问题的研究工作，对我国的水能开发问题作了深入研究，并提出了许多有利于水能开发的方法和观点，为我国水利事业的发展作出了杰出的贡献。

美国机械工程师学会于 1923 年授予弗里曼黄金勋章，表彰他对防治水火灾所作的卓越贡献。布朗大学、塔夫茨学院和宾夕法尼亚大学分别于 1904 年、1905 年和 1927 年授予他名誉博士称号。

92. 雷博克,T.

——河床演变创宏论

雷博克,T.(1864—1950年),生于荷兰阿姆斯特丹,德国实验水力学家。曾经在南美洲、非洲和欧洲长期从事工程建设。1899年出任德国卡尔斯鲁厄大学水力学教授,兼水工试验所主任。他于1901年建立了第一座水工试验室,运行了20年,进行了土坝、溢洪道、虹吸管、桥梁结构、隧洞入口以及漩涡结构的平面流态等方面的大量试验研究。1921年又建成了一座全新的水工试验室,并著有《水工试验之发展》等论文。

雷博克是一个研究兴趣非常广泛的水力学家,他曾在河床演变和河道问题理论上作过深入研究。这些研究对黄河的治理有着巨大贡献。早在公元前7年,中国的贾让就提出了以"游荡"两字来形容黄河的演变特征,但怎样来控制其"游荡"的特点却是一个难以解决的问题。随后的一代代水利人才中不乏佼佼者,他们竭力想寻找出产生问题的原因和解决它的方法:中国明代的刘天和总结了造成黄河游荡迁徙的六点原因,其中尤其重要的是关于河床淤积抬高,两岸不受约束,洪水暴涨暴落等问题的论述;到了清代,已认识到黄河夏季"走滩",冬季"行湾",初冬和春季"皆扫湾回溜,侵刷堤根"这一河道平面变化的规律。另外,法国人M·法尔格也于1875年提出了平原河流的平面形态与水深关系的六条规律。

1899年,雷博克开始用河道模型试验研究河道裁弯问题,在研究中,他发现:河床演变主要是水流与河床不断相互作用的过程,在这一过程中,泥沙运动是纽带。任一河段在特定水流条件下都有一定的挟沙能力。当上游来沙量与水流挟沙能力互相适应时,水流处于输沙平衡状态,河床保持相对稳定;如上游来沙量与水流挟沙能力不适应,水流输沙不平衡,河床就产生

相应冲淤变化。河床变化反过来又会改变水流条件，从而引起水流挟沙能力的变化，变化的趋势是尽量使上游来沙量与水流挟沙能力相适应，使河床保持相对平衡，这一过程称为河流的自动调整作用。河床演变影响范围往往是河床的多种变形错综复杂地交织在一起的。他的这些理论成为最新、最现代的一种河床演变和治理理论，为河道的治理提供了宝贵的经验。

值得一提的是，雷博克曾经为荷兰著名的须德海工程做过试验。根据他的试验结果，将原设计方案中的 5 座大型泄水闸取消，大大节省了工程费用。此外他在实验中还发现，须德海大坝合龙时的试验流速大大超过了原设计流速，因而修改了合龙方案，防止了一次可能出现的失败，从而使其成为伟大的"须德海大坝的'拯救者'"。

雷博克著有《水工试验之发展》等论文，为人们从事水工试验提供了很有价值的理论参考。

93. 谢尔曼，L. R. K.

——“单位线法”创始人

谢尔曼，L. R. K.（Le Roy K. Sherman，1869—1954年），美国水文学家和水力学家，水文分析计算中单位线方法的创始人。1892年毕业于麻省理工学院，1895—1912年先后任芝加哥下水道工程助理工程师和芝加哥卫生特区责任工程师。1912—1919年任谢尔曼公司董事长，1921—1934年任兰道夫—帕金公司董事长。1934—1943年历任美国国家资源局大湖流域顾问、美国地球物理学联合会水文部主席、美国水土保持局防洪处顾问和美国土木工程师学会水利政策委员会主席，并于1946年成为美国土木工程学会荣誉会员。

谢尔曼是美国水利史上一位杰出的水文大家，他为水力学和水利事业的发展作出了不朽的贡献，尤其是他提出的水文分析中的单位过程线法，使产流和汇流计算取得开拓性进展，而且为根据降雨推算洪水开辟了崭新的道路。他的这一伟大贡献于1932年发表在美国《工程新闻记录》杂志上，篇名为《用单位线方法从雨量推算径流》，文中他提出了毛雨和净雨的概念以及地面径流与基流的概念，并把单位线定义为单位历时、单位净雨在流域出口断面所形成的地面径流过程线。从实测流域内的降雨和流域出口断面的流量过程，可以推求该流域的单位线，即可根据暴雨或预估暴雨推求洪水过程或预估洪水过程。从此以后单位线法成为推算水坝容纳洪水最重要的方法之一，并成为世界各地水文学者一直沿用至今的解决汇流计算问题的经

典理论和方法；而且在此理论和方法的基础上，衍生出许多新的理论、方法及概念，如综合单位线法、瞬时单位线法、无因次单位线法、降雨径流关系中的核函数以及概念性水文模型中的许多水文概念。这一方法的推广应用，为现代水文学的径流预报和水文分析计算奠定了坚实的基础。值得一提的是，他的单位线法和同时代 R. E·霍顿的下渗公式组成了较早期的流域水文数学模型。

谢尔曼还为世人留下了宝贵的学术遗产，他比较有影响的著作有《农业经营对减少径流和洪水的作用》、《下渗理论在工程上应用》、《用夏普—霍坦法与谢尔曼—迈耶法推求下渗曲线的比较》，他还曾经编撰了由 O. E·迈因策尔主编的《水文学》一书中的《单位线》一章。

94. 萨凡奇，J. L.

——坝工专家享盛誉

萨凡奇，J. L.（John Lucian Savage，1879—1967 年），生于美国威斯康星州柯克斯菲尔，世界著名坝工专家、美国垦务局工程及研究中心奠基人之一。早年就读于威斯康星大学工程系，1903 年获博士学位，同年进入美国垦务局工作，1924 年任垦局工程及研究中心设计总工程师，1954 年退休。

从 20 世纪 30 年代起萨凡奇便从事坝工设计，一生负责设计了 60 余座大坝，其中主要的有美国的胡佛坝、沙斯塔坝、大古力坝以及波多黎各的伊莎贝拉坝、圣多明戈的巴拉奥纳坝和巴拿马运河区的马登坝等。由于他在大坝工程上的杰出贡献，1937 年被美国科罗拉多工程协会授予金质奖章，1952 年被美国通用机械杂志 50 周年纪念会推选为 50 名授予荣誉人士之一，与美国著名物理学家阿尔伯特·爱因斯坦、著名汽车制造家亨利·福特等齐名。

作为世界著名的坝工专家，萨凡奇与世界第一坝——中国的三峡大坝有着不解之缘。长江三峡河段，是世界上最大的水力资源宝库之一，早在 20 世纪初，中国民主革命的先驱孙中山先生就提出在三峡建坝、开发三峡水力资源的设想，以改善川江航运，开发利用长江水力资源。从那以后，无数的专家、学者对三峡工程倾注了极大的心血。值得一提的是，1943 年 8 月，中国政府资源委员会驻华盛顿代表 K. Y. YIN 给美国垦务局设计总工程师、世界著名大坝专家萨凡奇去信，邀请他访问中国。次年 5 月，中国还处在抗日战争时期，萨凡奇先生却不顾个人安危，应邀来华查勘三峡工程，并与中国政府资源委员会协作进行了建坝方案的研究，提出了在南津关建坝的扬子江三峡计划初步报告。事后他负责编写了《扬子江三峡计划初步报告》，报告建议在宜昌上游建200米高坝，装机1 056 万千瓦，同时有防洪、灌溉、航运之利，这就是著名的萨凡奇方案。这也是第一个三峡高坝建设方案，方案初步提出了兴建三峡工程的建议。1946 年他再次来华，对三峡坝区进行复勘，同时向中国和美国工程界进行广泛宣传。他认为，三峡工程具有巨大的综合效益，不仅关系到中国的繁荣，而且是一项有国际性意义的伟大工程。由此观之，萨凡奇富有远见的水利眼光和坚毅的水利精神，在三峡大坝的建造史上留下了光辉的一页。

萨凡奇以其在水利工程上的杰出贡献及坚韧、高尚的品格受到了世界工程界的敬重。

95. 巴甫洛夫斯基，H. H.

——渗流计算献智慧

巴甫洛夫斯基，H. H.（1884—1937 年），出生于奥廖尔市，前苏联水力学及水利工程专家、前苏联科学院院士。1919 年任彼得堡工学院及林学院教授，1921 年任列宁格勒工学院教授。另外他还担任过另一些院校和科研机构的领导职务。他曾经在创建全苏水工科学研究院的工作中发挥了重要作用，随后在他的倡导下，该院设立了水力学及水工实验室。

巴甫洛夫斯基对水力学的贡献主要在于，他对地下水渗流力学、明渠水力学及水工建筑物水力学等方面作出了很深的研究，尤其在渗流计算方面是一位杰出的专家，他发明了常用的水头损失计算公式：$y=2.5\sqrt{n}-0.75\sqrt{R}(\sqrt{n}-0.1)-0.13$（适用范围：适用于水流处于阻力平方区的均匀流，且 0.1 米$\leqslant R\leqslant$3.0 米，$0.011\leqslant n\leqslant 0.04$，式中：$R$—— 水力半径（米）；$n$—— 糙率）。后人为纪念他在渗流方面的贡献，把此公式称为巴甫洛夫斯基公式。而后，前苏联学者 P. P・丘加耶夫在巴甫洛夫斯基的理论和 C. H・努梅罗夫对渗流急变区求得的精确解答的基础上，于 1957 年提出计算土基中平面恒定渗流的一种近似方法——阻力系数法，为土力学的发展作出了不可磨灭的贡献。

自 1912 年巴甫洛夫斯基于彼得堡交通运输工程学院毕业后，他便一直从事水力学方面的教学和科研工作。终其一生，撰写了近 100 篇著作和文

章，主要有《水工建筑物下地下水流动的理论》、《土坝渗流》、《水力学手册》、《水力学》等，他对有压渗流和无压渗流进行了系统研究，利用保角变化法得出水工建筑物不同形式底板下渗流方程的理论解，提出了通过各种土坝的渗流计算方法，并首创了渗流模型试验的水电比拟法，此理论认为：水在管道中的流动特性，和电荷在电路中的流动特性相似，两种流动可以用一组相同的微分方程来描述。水路中的流量 Q 相当于电路中的电流 I，水路中的压力降 ΔP 相当于电路中的电压降 ΔU，水路中的容积相当于电路中的电容，水路中的压差恒定控制装置相当于电路中的稳压器，要求供水系统中水压恒定的道理和要求供电系统中电压恒定的道理相同。此项理论在水力学、土力学和电学方面都占据着举足轻重的地位。此外在明渠及管道水力学方面，他提出了水面曲线的计算方法，以及明渠及管道均匀流速计算公式中各项系数的计算方法等。

巴甫洛夫斯基还进行了大量生产实践活动。他从事过水利土壤改良工程和水工建筑方面的勘测与设计工作。他参加过前苏联著名的沃尔霍夫水电站、第聂伯水电站、斯维尔水电站、莫斯科—伏尔加大运河以及莫斯科地下铁道等工程建设。在理论研究和实践经验的基础上，他在水利工程的水力计算和设计方面提出了新的原则和途径，并被前苏联的水利工作者广泛采用。

96. 拉奥，K. L.

——印度水利先行者

拉奥，K. L.（Kanuru Lakwshman，1902—1980 年），生于安得拉(Andhra)邦，印度水利专家。早年获得印度古因迪工程学院学位，以后又获得马德拉斯大学工程硕士学位。1939 年到英国学习，在英国伯明翰大学获得博士学位后，在英国拉夫伯勒学院(现称技术大学)任教。

第二次世界大战结束后，拉奥怀着为祖国水利事业贡献一份力量的豪情，于 1946 回到印度，先在马德拉斯邦任设计工程师，后调至中央水利电力局任设计主任，继为防洪规划设计总工程师、设计研究荣誉委员。1960 年拉奥被选为印度中央灌溉电力委员会主席和印度工程师学会主席，并在 1963—1973 年间被任命为印度灌溉电力部部长。他还曾当选为印度土力学和基础工程学会主席、国际土力学和基础工程学会副主席、国际水资源协会副主席、联合国自然资源委员会主席等。在 1962 年、1967 年及 1971 年当选为印度国会议员，同时成为印度水资源协会终身荣誉会员。在任灌溉及电力部部长的十余年间，他领导印度全国水资源开发工作，积极拓展印度水资源开发的领域，并运用其对水利研究的经验指导全国的水利工作顺利开展，在印度许多大型灌溉、水电、防洪等综合利用工程的规划设计中起了重要作用。他一直孜孜不倦地工作着，在科学及工程上均取得了骄人的成就。为表彰拉奥在科学及工程上的成就，印度安得拉大学、鲁尔基大学及尼赫鲁技术大学分别授予

他荣誉科学博士学位，并于1963年被印度总统授予国家最高荣誉。

拉奥在水利工程结构、土力学和水资源开发利用等许多领域都有着较深的研究。他参加和主持过许多有关灌溉、水电、防洪等多目标大型工程的规划设计，并为交流水利科学技术和推动国际合作作出了贡献。他曾经撰写过300多篇科学技术论文和许多专著，他在20世纪40—50年代，在印度工程师学报上3次获得总统最优技术论文奖。他的《钢筋混凝土结构》一书受到许多国家专业人士的欢迎，另一本《印度的水利财富》一书，对开发利用印度次大陆水资源有许多重要的创见，这些建议在今天印度水利的开发利用中还有着举足轻重的影响。

97. 爱因斯坦，H. A.

——“沙波阻力”深钻研

爱因斯坦，H. A.（Hans Albert Einstein，1904—1973年），生于瑞士伯尔尼，美籍犹太裔河流泥沙专家。1926年在瑞士苏黎士大学获土木工程毕业证书，1936年获瑞士联邦理工学院科学博士学位。

作为一位水利大家，爱因斯坦的主要贡献和成就在于“沙”，他是泥沙水利学发展史上具有开拓意义的泥沙专家：他第一次提出泥沙应划分为床沙质和冲泻质的概念，阐明了两者在直接来源、河床演变中的作用和输沙率估算上的不同。他首先把阻力和泥沙运动有机地联系起来，提出床面阻力由沙粒阻力及沙波阻力两部分组成，只有前者与推移质输沙率直接有关，并根据河流实测资料提出了确定沙波阻力的计算方法。爱因斯坦是把随机过程和力学分析结合起来研究推移质运动的创始人。他把一颗泥沙在外力作用下产生各种运动状态的力学必然性同水流脉动、大量泥沙颗粒同时存在所产生的随机性质很好地结合起来。通过试验，他发现床沙、推移质、悬移质之间存在着不断的交换，并指出这三者之间存在有机的联系。

他还通过大量试验寻找产生“沙波阻力”的原因以及其产生的影响，最后发现：沙波阻力之所以产生，是由于水流沿沙波波峰发生分离，从而造成迎水背水坡面上压力的不对称。他还发现，沙波阻力所产生的紊动主要发生在水流分离面上，从而所产生的漩涡不如沙粒阻力所产生的漩涡那样对泥沙运动影响更为直接，但仍对泥沙运动起一定的作用。漩涡的存在使得

一部分泥沙从床面被带起，当脱离漩涡时必然会被带到下游，从而对泥沙输移起一定作用。另外，沙波的作用不仅在于迎水面和背水面压力不对称，还在于产生局部水流的非均匀性，特别是迎水面靠近床面附近水流的加速，这样就产生了对流应力，此对流应力可促使推移质运动，根据这一论点，他建立了包括推移质和悬移质在内的床沙质挟沙能力关系。20 世纪 50 年代，他和协作者明确提出了近壁层流层的不稳定性，指出即使在光滑的周界上，近壁层流层也会受到水流紊动的直接影响。这一认识已为 70—80 年代发展起来的猝发理论所证实。

作为一名美籍犹太裔泥沙专家，他自 1938 年移居美国后，曾先后在美国农业试验站、农业部加利福尼亚州理工学院研究站从事研究工作，并于 1947 年起任加利福尼亚大学副教授、教授。在 1959 年和 1960 年先后获得美国土木工程师学会水力学研究奖和史蒂文斯奖(最佳讨论奖)。

爱因斯坦为后人留下了宝贵的理论资料，他的主要著作有《明渠水流的挟沙能力》，主要论文有《粗糙边壁上的水动力》、《流体的综合阻力》、《河道阻力》、《冲泻质输沙率能用床沙质函数估算吗?》、《高度不均匀沙的输送》、《变态模型的相似律》和《光滑边壁上的层流附面层》等。

98. 劳斯,H.

——劳斯公式推导者

劳斯,H.(Hunter Rouse,1906—1983 年),美国现代水力学的奠基人。俄亥俄州人,早年在德国卡尔斯鲁厄大学学习,获得博士学位,后随著名水力学家雷博克·T工作两年。1929—1939 年间他先后在麻省理工学院、哥伦比亚大学和加利福尼亚理工学院任教,1939 年任艾奥瓦大学教授,主持艾奥瓦水利研究所的日常研究工作多年,1966—1972 年任该校工学院院长。

劳斯的研究领域极其广泛,综观其一生,可以看出他对相似律、射流和堰流、喷射扩散、边界粗糙度、沉积物悬浮等都进行过深入的研究,通过对这些问题的研究、总结、观察和分析,他编写了多种水力学、流体力学教材和专著,在 1938—1976 年间先后编撰了《水利工程师水力学》、《初级流体力学》、《流体力学基础》、《水力学史》、《高等流体力学》、《水力学在美国》等著作,这些著作不仅奠定了他作为水力学家的地位,而且还受到了全世界水力学界的重视。

劳斯不仅在水力学方面有突出贡献,他对泥沙研究的发展亦功不可没。他曾由泥沙扩散方程导出含沙水流悬移质泥沙含沙量垂线分布公式:$\frac{S}{S_a}=\left\{\frac{h-y}{y}\cdot\frac{a}{h-a}\right\}^2$[式中 S 为垂线上距床面高度为 y 点处的含沙量(千

克/立方米)；S_a 为垂线上距床面高度为 a 的参考点处含沙量(千克/立方米)；h 为水深(米)；a 为参考点距床面距离(米)；Z 为悬浮指标理论计算值，$Z=\omega/kU$ 为卡门系数，对挟沙水流取0.376]。此公式基本上表达了悬移质相对含沙量沿垂线分布的规律。许多学者利用原型观测资料和试验室资料验证了该公式结构形式是比较符合实测状况的，特别是在颗粒较细且浓度较小时，劳斯公式与实测资料比较符合，同时也发现了劳斯公式存在的一些问题。尽管该公式存在如计算水面含沙量为零，床面含沙量无穷大等问题，但由于其结构形式简单，且基本上能反映实际情况，亦可以用来计算沉沙池含沙量沿垂线分布，是目前在国际范围内应用最广泛的一个公式，世人称之为劳斯公式。

99. 冈本舜三

——大坝抗震学问深

冈本舜三(Shunzo Okamoto，1910—)，日本知名土木工程学家、地震工程学家、教育家。1932 年毕业于日本东京帝国大学工学土木系，后于 1947 年获日本工学博士学位。1947 年起任该校生产研究所所长，1962 年任日本土木工程学会副会长，1972—1973 年任会长，1969—1973 年任国际地震工程协会主席，1974—1980 年任日本埼(音 qí)玉大学校长。现为日本东京大学和埼玉大学名誉教授、日本土木学会名誉会员、国际地震工程协会名誉会员，曾获日本藤原奖。

冈本舜三多年从事土木工程抗震方面的教育和科研工作，是国际地震工程学界的知名学者，其研究领域包括工程地震及各类土木工程结构的抗震，尤其对各类水坝的抗震作了大量深入研究。其研究课题的特点是密切结合工程实际问题，强调要首先掌握地震的震动与震害的实际情况。他不仅在科学研究方面提出了很多创新见解，如拱坝地震反应的多点激振试验技术以及考虑竖向地震影响等，而且注重在工程抗震实际中加以应用。在解决日本国内外工程抗震问题中，积累了丰富的工程实践经验。

在现当代的水利工程建设中，水工建筑物的场址和结构一般都十分复杂，涉及到坝址河谷的震动及坝体、库水、地基综合体系的动力相互作用和不同介质动态耦合等前沿问题，这些问题的解决显然在水坝的建设中有着

重大关系，因此水坝抗震分析成为一个应用广泛的命题，主要表现在为大坝抗震设计提供设计地震动参数、进行大坝的模型和原型抗震试验、大坝的强震安全监测、水库诱发地震等方面问题。冈本舜三是这类抗震研究的专家，他不仅在地震危险性分析、地震区划、地震小区划、工程场地的地震震动参数评定等方面有深入研究，而且熟悉目前国内外大坝强震安全监测技术的现状，还指出了大坝强震监测仪器的特点、功能和发展趋势，以及强震监测工作在实际工程应用中存在的问题和在大坝强震安全监测中存在的模糊认识。他还强调计算机及网络技术、信息远程传输和信息数据库管理技术在大坝强震监测技术领域中的重要用途，进而提出了大坝强震监测安全预警与决策支持系统的新思想，为水电工程强震安全评价工作的发展方向提出重要的观点。他在解决日本国内外众多工程抗震问题的基础上，发表了大量学术报告、论文。在他之后的科学工作者采用离散化的分析方法，结合有限元，对冈本舜三提出的数学模型加以改进，提出了浅埋隧道地震反应分析的一种方法，并对隧道进行了总体地震反应分析，在隧道抗震方面总结出比较合理的科学抗震理论，对发展地震工程学科和解决工程抗震问题作出了重大贡献。

冈本舜三发表了 100 多篇学术论文和报告，并著有《地震工程概论》、《结构抗震设计方法》、《日本地震活动性图》等专著 10 本，受到各国地震工程界同行的重视。

100. 周文德

——水文大家声名著

周文德（Ven Te Chow，1919—1981年），生于中国杭州，美籍华人，现代水力学家、水文学家。1940年毕业于上海交通大学，获土木工程学士学位，1948年获美国宾夕法尼亚州立大学工程力学硕士学位，1950年在伊利诺伊州立大学获水利工程博士学位，1973年被选入美国国家工程科学院，1976年被选入美国文理科学院。

周文德堪称水文大家。自1948年起他便在伊利诺伊州立大学从事水文学、水力学和水资源利用的研究，通过长期的不懈努力，取得多项研究成果：发展了实验流域水文模型；研制了新型的具有可变功能的人工降雨装置；研究了许多水文随机模型和水资源模型；与他人合作研制的离散微分动态规划模型，为水资源系统的最优化提供了简单而实用的方法；对明渠糙率及水面曲线积分提出了新的公式，在洪水演进方面也做了不少研究工作。他在水源系统的优化方面作出的杰出贡献，尤其为人称道。

在致力于水文学、水力学和水资源利用研究的同时，周文德担任了许多重要职务。他创建了国际水资源协会，并担任第一任主席，此后一直为该协会名誉主席。他曾任美国地球物理联合会水文分会主席；他曾在多个国家级委员会的水文和水资源开发部门中工作，包括国际水文美国国家委员会，美国科学院，国际水文协会美国国家委员会，国际水资源应用系统分析学会美国委员会，水资源大学理事会等；他还担任过《水资源研究》副主编，《环境

遥感》、《地球物理测量》、《供水及管理》编委会委员，《水科学发展学报》及《水文期刊》编辑，《苏联流体力学研究》顾问委员会委员，美国《水文科学进展》(Advance in Hydroscience)丛书和国际水资源协会(IWRA)的刊物《水国际》(Water International)的主编等。

他撰写过200多种科技论文和专著，尤其是《明渠水力学》和《应用水文学手册》，内容丰富，影响深远，受到各国水利学界的重视。由于成就突出，他曾荣获包括国际灌溉排水委员会纪念奖等30多个国内和国际奖项，并在加拿大滑铁卢大学、法国巴斯德大学、印度安得拉大学、韩国原南大学获得4个荣誉博士学位，并被选为美国工程院、美国艺术与科学院院士。

参 考 文 献

1. 郑连第. 中国水利百科全书(水利史分册). 北京:中国水利水电出版社,2004.
2. 顾浩. 中国治水史鉴. 北京:中国水利水电出版社,2006.
3. 王文轩. 中国历代水利名人传略. 贵阳:贵州科技出版社,1993.
4. 朱学西. 中国古代著名水利工程. 北京:商务印书馆,1997.
5. 魏得良等. 中国古代名人小传. 杭州:浙江人民出版社,1984.
6. 姚汉源. 中国水利史纲要. 北京:水利电力出版社,1987.
7. 范文澜等. 中国通史(1—10 册). 北京:人民出版社,1994.
8. 黄河水利委员会《黄河水利史述要》编写组. 黄河水利史述要. 北京:水利电力出版社,1984.
9. 陈昌仁. 水魂. 南京:南京新闻出版局(苏出准印 JSE—0004145 号).

「后记」

为了弘扬中国传统文化，挖掘发展中华水文化，河海大学结合自身的办学特色，在开展水文化研究的基础上，组织编写了《水文化教育丛书》。丛书的根本要旨，在于通过水文化知识的普及和教育，提高人们对水的战略地位的认识，以带动全社会水意识的觉醒和提升；教育人们树立科学发展的水利观，以增强对水的忧患意识；培养人们爱水、节水、护水、亲水的情怀，以养成良好的水文化行为习惯；帮助人们提升水利工程建设中的文化自觉性，以确立人水和谐的科学发展理念。

《丛书》分为10个分册，分别为：《100条江河湖泊》，主编：吴胜兴，副主编：顾圣平、贺军；《100座城市与水》，主编：郑大俊，副主编：刘兴平、钱恂熊；《100项水工程》，主编：吴胜兴，副主编：沈长松、孙学智；《100例水灾害》，主编：颜素珍，副主编：唐德善、汤鸣鸿；《100位水利名人》，主编：王如高，副主编：刘春田、陈家洋；《100首水歌曲》，主编：蔡正林，副主编：刘兴平、沈俐；《100种水用具》，主编：王培君，副主编：戴玉珍、贺杨夏子；《100处水景观》，主编：蒲晓东，副主编：张彦德、潘云涛；《100篇咏水诗文》，主编：尉天骄，副主编：林一顺；《100个水传说》，主编：张建民，副主编：莫小曼、郑如鑫。

《丛书》封面上"水文化"三个字由水利部原副部长敬正书同志题写。在《丛书》的编写过程中，为了充分反映不同时期有关水文化的经典之作，各分册的编写人员通过多种途径，参阅和收集了大量的文献资料。这些文献资料对于进一步传播、发展和弘扬水文化，进一步提升人们的水文化素养具有重要价值。在此，我们对这些文献资料的奉献者表示衷心的感谢。

与此同时，我们还要说明的是，《丛书》各分册选列的是主要参考文献，未能详尽所有文献，在选引中也会有遗漏不全之处，亦敬请各位作者谅解。